La professe
est le cent trente-troisième livre
publié par Les éditions JCL inc.

Données de catalogage avant publication (Canada)

Boudrias, Gervais, 1942-
La professe
ISBN 2-89431-133-8
I. Titre.
PS8553.O8337R76 1995 C843'.54 C95-940975-0
PS9553.O8337R76 1995
PQ3919.2.B68P76 1995

Édition originale: septembre 1995

La Professe

Collection
ROMAN-VÉRITÉ

Éditeur
LES ÉDITIONS JCL INC.
930, rue Jacques-Cartier Est
CHICOUTIMI (Québec)
Canada G7H 2A9
Téléphone: (418) 696-0536
Télécopieur: (418) 696-3132

Illustration de la couverture
NICHOLAS PITRE

Maquette de la couverture
ALEXANDRE LAROUCHE

Infographie
JUDITH BOUCHARD

Correction des épreuves
RÉMI TREMBLAY

Dépôts légaux
3e trimestre 1995
Bibliothèque nationale du Québec
Bibliothèque nationale du Canada

ISBN
2-89431-133-8

DISTRIBUTEURS EXCLUSIFS

Distributeur pour le Canada et les États-Unis
LES MESSAGERIES ADP
MONTRÉAL (Québec)
Téléphone: (514) 523-1182 ou 1 800 361-4806
Télécopieur: (514) 521-4434

Distributeur pour la France et les autres pays
HISTOIRE ET DOCUMENTS
CHENNEVIÈRES-SUR-MARNE
Téléphone: (1) 45 76 77 41
Télécopieur: (1) 45 93 34 70

Distributeur pour la Belgique et le Luxembourg
VANDER
BRUXELLES
Téléphone: (2) 762 98 04
Télécopieur: (2) 762 06 62

Distributeur pour la Suisse
TRANSAT S.A.
GENÈVE
Téléphone: 022/342 77 40
Télécopieur: 022/343 46 46

GERVAIS BOUDRIAS

La Professe

Notre programme annuel de publications
est rendu possible grâce à l'aide
du **ministère des Communications**,
du **Conseil des Arts du Canada**
et du **ministère de la Culture
et des Communications du Québec**.

Pour l'aide reçue de
René, Émilie, Clémence, Huguette
et tous ceux et celles
qui m'ont encouragé à continuer,
merci de tout cœur.

AVERTISSEMENT AU LECTEUR

Ce roman est inspiré d'un fait véridique. Les noms de certains personnages ont été changés de même que des dates pour éviter à des acteurs de cette épopée d'être reconnus ou incriminés. D'autres conservent leur nom et leur rôle réel à cause de leur apport positif et de leur renommée en Gaspésie. Notre objectif principal est de faire connaître une aventure qui a marqué la petite histoire. Si des personnes encore vivantes se reconnaissent dans ce récit, ce n'est pas le fruit du hasard, mais elles comprendront que la liberté du romancier peut avoir modifié leur rôle et leur impact par rapport à la réalité.

Chapitre 1

Il se prélasse encore au lit bien qu'il soit sept heures trente alors que d'ordinaire, Richard travaille depuis au moins une demi-heure. Il n'a répondu qu'à une seule urgence dans la soirée, un mal de ventre persistant qui s'est avéré être une appendicite. Le reste de la nuit, le jeune homme a récupéré d'une fatigue attribuable à un surcroît de travail; seulement deux médecins du village consentent encore à faire des visites à domicile. Adossé contre ses oreillers, Richard Cloutier tend la main pour saisir sa tasse. La cafetière électrique pourvue d'une minuterie, une nouveauté achetée récemment, a filtré un café fort comme il aime le prendre, quand le temps le lui permet.

S'il peut ce matin étirer le lever et siroter son café au lit en écoutant les propos de l'animateur de radio du poste C.K.B.L. de Matane, c'est qu'il prend congé pour célébrer l'anniversaire de son arrivée dans ce village de la Gaspésie, il y a un an. L'événement est souligné d'une drôle de façon: il va à la pêche pour la première fois de sa vie. Son travail l'a tellement accaparé depuis son arrivée qu'il n'a pas pris le temps de taquiner le poisson, ni dans un lac ni sur le fleuve. Il ne connaît rien à ce loisir; pour s'initier, il lui faut donc un guide et de l'équipement. Grâce à une bienveillante invitation, il peut enfin essayer ce sport auquel s'adonnent tant de gens de ce coin de pays.

Il vit dans un paradis de la nature, mais sa nature à lui le pousse à consacrer ses loisirs à la lecture et à la recherche dans ses volumes de médecine. Moins souvent que les autres habitants du village, il a arpenté le quai ou le bord de la plage. Les gens disent «se promener sur la grève ou sur le plein». Il aime la photographie et le cinéma, mais au théâtre Caribou, comme c'est l'habitude, le film a déjà fait la primeur à la télévision avant de prendre l'affiche.

Il y a un an jour pour jour que le 12 juin 1970, il arrivait ici. Parti de Montréal vers neuf heures le soir précédent, Richard a conduit sa Pontiac flambant neuve sans arrêt, sauf pour faire le plein d'essence. Détenteur d'un permis de conduire depuis seulement un mois, il a préféré rouler de nuit, d'abord pour éviter la circulation mais aussi pour profiter d'une journée complète pour s'installer. Il a ainsi économisé le coût d'une nuit à l'hôtel. Sa première automobile, de luxe moyen, il l'a financée dans une caisse populaire de Montréal et sa mère a dû se porter garante du prêt. N'ayant jamais possédé de voiture, elle a bien sûr trouvé le prix élevé, mais elle a fait confiance à son fils.

D'ordinaire, il est méticuleux, mais cette fois-ci, il a empilé pêle-mêle sur la banquette arrière et dans le coffre de la voiture ses effets personnels, un peu de literie, des livres et des équipements nécessaires à sa profession.

Enfin, il possède ce fameux diplôme l'autorisant à pratiquer. Un rêve personnel, partagé aussi par sa mère, se concrétise. Pendant ses études médicales à l'Université de Montréal, il a réussi, sans être le coq de la faculté, à maintenir des notes au-dessus de la moyenne. Le superviseur de son internat à l'Hôpital Général de Montréal lui a fortement conseillé la spécialisation compte tenu de ses aptitudes. Mais Richard manque d'argent et considère normal de prendre un an ou deux pour acquérir de l'expérience et augmenter ses revenus avant de se lancer dans de nouvelles études.

Ses amis n'ont toujours pu expliquer pourquoi il tenait absolument à commencer sa carrière à Sainte-Anne-des-Monts. N'aurait-il pas été préférable de le faire à Montréal ou à Québec? Après avoir vécu une année complète dans ce village, la réponse n'est pas évidente, même pour lui. Il a d'abord été attiré par la possibilité de travailler dans un nouveau centre hospitalier bâti à coup de millions sur la Côte de la Croix. La colline des Chic-Chocs, à l'arrière du village, doit son nom à une immense croix de bois blanchie à la chaux et visible de très loin sur le fleuve. Sur le versant sud, le gouvernement du Québec a substitué au vieil hôpital un complexe neuf, moderne et bien équipé. Même si l'édifice était loin du fleuve, de l'air salin et de l'église, la population n'a pas protesté. Les fonctionnaires l'auraient placé entre deux caps que tout le village aurait applaudi tellement l'acquisition d'équipement moderne et fonctionnel paraissait essentielle.

Il n'ose pas l'avouer ouvertement, mais il a aussi été influencé par les descriptions imagées que sa mère faisait des magnifiques paysages gaspésiens. Elle lui a bien dépeint cette route le long des caps escarpés qui débouche, au moment où on s'y attend le moins, sur un petit village étalé autour d'une anse. Cette échancrure dans le paysage sert de cimetière aux vagues qui viennent mourir en roulant sur une plage couverte de vieux coquillages et de varech. Comment ne pas désirer connaître la gentillesse de la population, sa chaleur, son hospitalité et sa philosophie de la vie calquée sur la nature et son humeur variable? Sa mère lui a longuement vanté toutes les qualités de ces gens. Comment ne pas répondre positivement à l'offre affichée au tableau du Centre d'emploi de la Faculté de médecine?

Plusieurs interrogations ont cependant vite surgi. Sa mère la première a prétexté mille et une raisons pour l'empêcher de concrétiser sa décision: l'éloignement, la pauvreté, le manque de services médicaux spécialisés, bref Madeleine Cloutier a invoqué tous les arguments valables ou non. Mais opiniâtre et décidé à ne rien concéder, le fils a fourni réponse à sa mère, conscient cependant que tout effort pour la convaincre sera vain. Il pense à tout l'acharnement qu'elle a déployé à le détourner de sa voie. Elle lui a laissé entendre que tout autre endroit lui conviendrait. Elle est même allée jusqu'à lui conseiller Rimouski ou Matane, lui faisant miroiter les avantages de professer dans une ville au lieu d'une campagne. Mais de sa mère, il partage cet entêtement des Gaspésiens: il est resté ancré sur sa position.

Au moment du départ, il se souvient qu'elle a manifesté de l'inquiétude et de la nervosité, mais il a mis l'émoi de sa mère sur le compte de la séparation imminente. Après l'avoir embrassé et lui avoir prodigué des conseils bien maternels, elle lui a remis une lettre cachetée au nom du docteur Lévesque, un médecin de sa connaissance qui selon elle pourrait l'aider à s'établir. Plus préoccupé par le voyage et sa première longue route comme conducteur, il n'a pas songé à lui demander comment elle avait pu connaître ce médecin. Peut-être par son travail à la pharmacie s'était-il dit tout simplement. Elle est appelée à remplir des ordonnances sous supervision et à entrer en relation avec beaucoup de gens du domaine médical. Aujourd'hui il sait que ce n'est pas là qu'elle a connu le médecin...

Il se souvient être arrivé à destination au lever du soleil, avoir admiré avec étonnement ce long chapelet de maisons étiré sur le littoral du fleuve. Au loin, en plein milieu du soleil rouge dominant les toitures, il distinguait nettement les deux flèches du clocher de l'église et la croix sur la montagne derrière. L'espace restreint entre le fleuve et les montagnes explique aisément à ses yeux l'étalement du village en longueur. Il a stationné sa voiture au belvédère de la Grande Rivière Sainte-Anne et a incliné le siège. Il disposait de quelques heures, il était fatigué, il s'est endormi. Vers huit heures, la clarté et la faim l'ont réveillé. Au Restaurant du Faubourg il a mangé et fait un brin de toilette. C'est après un copieux déjeuner qu'il a appris de la serveuse que la maison et le bureau du docteur Lévesque étaient là, en face, de l'autre côté de la rue.

La fille du restaurant lui a confié en outre que le docteur a toujours refusé d'embaucher une secrétaire, il compte plutôt sur son épouse pour la dactylographie des rapports et l'accueil de la clientèle. Ce mode d'opération fonctionne bien parce que la salle d'attente est attenante au hall d'entrée de la maison. À cette heure matinale, Richard a jugé utile de se présenter à la maison plutôt qu'au bureau. Après les salutations et les présentations d'usage, il a remis au destinataire la lettre cachetée confiée par sa mère. Après l'avoir lue attentivement, le médecin a changé de ton et a immédiatement invité Richard à le suivre dans son bureau. L'expression de sa figure pouvait traduire un certain contentement, probablement dû au fait qu'il recevait un nouveau confrère. L'odeur de fermentol et de médicaments qui flottait dans le cabinet a coupé à Richard toute envie d'accepter l'offre immédiate de partenariat proposée. Ce projet d'association, un autre point d'interrogation. Comment se fait-il que la proposition soit venue si vite, sans autre formalité? Il était évident que le docteur Lévesque, vu son âge, se cherchait un éventuel successeur. Même si cette association aurait pu faire économiser beaucoup d'argent à Richard en lui garantissant une clientèle dès le départ, son désir de liberté s'est avéré plus fort que l'avantage monétaire.

Après ce refus, Richard s'est étonné de l'empressement du médecin à vouloir lui prêter, à lui un inconnu, une grosse somme à un taux presque symbolique de deux pour cent. Aujourd'hui, il est convaincu que la lettre de sa mère n'est pas étrangère à cette attitude, mais pourquoi? C'est une autre interrogation. Il a trouvé anormal que le vieux docteur ne lui pose aucune question sur le mode de remboursement ni n'exige aucune garantie. Ses connaissances dans le domaine financier étaient limitées, mais jamais il n'avait vu brasser des affaires de façon aussi simple. Tout le temps qu'il rédigeait sur une simple feuille de papier blanc, sans témoin, le vieux toubib n'arrêtait pas d'enlever et de remettre son lorgnon, avec l'air de chercher chez le jeune homme un air de famille ou une ressemblance à quelque connaissance.

C'est seulement quelques semaines après cette rencontre que Richard s'est vraiment demandé comment sa mère avait pu connaître ce vieux médecin. À sa «souvenance», elle n'avait pas remis les pieds en Gaspésie depuis la naissance de son fils. Lors de son dernier voyage à Montréal, il a abordé le sujet avec elle. Le médecin en question était le copain d'université du propriétaire de la pharmacie; ils avaient fait plus ample connaissance à cause de leur origine gaspésienne commune. Mais cette explication cousue de fil blanc ne respirait pas la vérité.

Au moment du premier contact, Richard a naïvement attribué la grande empathie du docteur Lévesque à la pénurie de médecins dans le secteur et au soulagement que son travail apporterait aux autres disciples d'Esculape. Peu nombreux, ces derniers doivent fournir beaucoup d'heures de garde et de bureau.

Le nouvel arrivé, après avoir signé le papier, s'est empressé de prendre le chèque et d'ouvrir un compte à la caisse populaire.

Il lui fallait prioritairement dénicher un appartement avec, si possible, un cabinet attenant. La chance lui a souri. En moins d'une heure, grâce aux conseils du docteur Lévesque, il a dégoté un cinq pièces très convenable libéré par un courtier d'assurances dans un édifice commercial en plein centre du village. Il ne pouvait espérer mieux. Jamais il n'aurait cru se loger aussi vite et aussi bien. Sans perdre de temps, il a acheté chez Les Meubles Ross le mobilier de base: lit, bureau, table et chaises, appareil radio et petit téléviseur. Il s'était contenté du strict nécessaire, étant habitué à vivre modestement.

Au cours de l'après-midi, avec une fierté évidente, il a vissé à la porte d'entrée du cabinet une plaque de cuivre gravée: *Dr Richard Cloutier M. D.* Ce cadeau souvenir de sa mère, il le conservait dans sa valise depuis la réception de son diplôme, le 26 mai 1970. Pour admirer l'effort de son travail, il a pris du recul jusqu'à la porte du grand hall. Curieusement la plaque était fixée avant même la livraison du lit et des meubles de cuisine. En dépit de pressions pour accélérer le processus, le mobilier du cabinet médical et du bureau n'est entré que trois semaines plus tard, en provenance de Montréal. Tous ces achats ont été payés avec l'argent prêté par le corps médical de Sainte-Anne-des-Monts, composé de cinq médecins et de deux chirurgiens. C'est du moins ce que Richard a cru, car il ne trouvait pas d'autres explications. La généreuse condition financière devait faire partie de l'offre en vue d'attirer les nouveaux diplômés dans cette région éloignée. Recruter et conserver du personnel médical s'avère difficile dans ce secteur du Bas-du-Fleuve. Les jeunes médecins y viennent un an ou deux et repartent vite. Le dernier à avoir pris racine avant lui, c'est le docteur Brousseau; cela remonte déjà à plus de cinq ans.

C'est en souriant qu'il se remémore ses premiers clients. Méfiants comme le sont les Gaspésiens, ils sont venus le «tester», lui avait dit un confrère. Mais ils l'ont vite apprécié. Sa clientèle de plus en plus nombreuse l'a obligé à embaucher une secrétaire, Nicole Pelletier, fille du barbier du village, qui agissait aussi comme coiffeur du dimanche pour les patients de l'hôpital. Dernière enfant et unique fille d'une famille qui aligne avant elle, huit garçons, pêcheurs et bûcherons, tous ont souhaité que leur petite sœur ne finisse pas comme employée de l'usine à poissons à travailler dans le froid et dans le sel. Pour eux, il était important qu'elle soit instruite. Comme elle n'avait pas voulu devenir enseignante ou infirmière, restait la possibilité du cours commercial dispensé par les sœurs de Saint-Paul-de-Chartres.

Même si le port du costume n'est plus obligatoire depuis deux ou trois ans, certaines religieuses conservatrices y tiennent encore. Richard a eu le fou rire la première fois qu'il a vu, à l'hôpital, une de ces irréductibles revêtue d'une soutane noire et d'une sorte de tablier blanc pendant devant et derrière, les épaules et la poitrine recouvertes d'un plastron solidement fixé dans l'amidon. Le plus ridicule, était cette grande coiffe aussi disproportionnée que celle de Sœur Volante, la vedette d'une nouvelle émission de télévision. La cornette blanche de coton très empesé, attachée par le haut décrivait de chaque côté de la tête un cercle comme celui du hunier du grand mât. Cette image bizarre lui a effleuré l'esprit en voyant l'accoutrement de ces religieuses, habiles gestionnaires de l'hôpital.

Il sait maintenant qu'avant de devenir des religieuses permanentes, ou professes, les postulantes doivent passer par le noviciat dans l'édifice situé en face du complexe hospitalier, sur la Côte de la Croix. Elles y séjournent deux ans avant de prononcer des vœux temporaires et des vœux permanents par la suite. Il a appris à découvrir ces femmes admirables de dévouement, qui dépassent largement les heures prévues pour le personnel laïque.

L'intégration du jeune médecin à l'hôpital des Monts fut plus difficile. Certains collègues plus âgés considéraient sa venue comme soulageante, mais estimaient sans doute que le jeune prenait un peu trop de place. C'est avec le docteur Brousseau, à peine plus âgé que lui, qu'il s'est entendu le mieux; dès le début, ils ont convenu d'un mode de remplacement auprès de leur clientèle respective quand l'un des deux prendrait congé. Mais avec les docteurs Leblanc et Landry, ce fut différent. Ils ne lui pardonnaient pas de continuer les visites à domicile, car eux avaient mis fin à cette pratique dès l'annonce de l'instauration de l'assurance-maladie du Québec. La Régie n'entrera officiellement en fonction qu'en novembre prochain, mais ils ne sortent plus de leur bureau depuis plus de dix-huit mois, déjà. Ils ont pour «leur dire» que «le jeune» travaille uniquement pour l'argent. Richard Cloutier n'est pas riche et ne vise pas à s'enrichir; son sens de la charité dépasse son besoin monétaire. C'est ce souci humanitaire qui, estime-t-il, a agacé ces médecins. Richard se préparait à clarifier lui-même la situation, n'eût été de l'intervention du docteur Lévesque. Ce dernier a usé de son influence et de son ancienneté pour calmer les esprits. Par après, les contradicteurs le laissèrent faire son travail en paix.

De l'argent, il en a gagné assez, il est vrai pour couvrir les mensualités du bureau, de l'automobile, et rembourser en un an près de la moitié du prêt consenti par le docteur Lévesque. Richard l'a découvert depuis: c'est ce dernier seul qui a avancé la somme lui permettant de s'établir. Il en ignore encore la raison mais espère la trouver. Entre-temps, il se dépêche d'effacer cette dette qui le rend mal à l'aise face au doyen des médecins du village.

Il est interrompu dans ses pensées par l'arrivée de la secrétaire. Chaque jour, Nicole Pelletier commence à travailler autour de huit heures quinze. Dès qu'il entend la clef dans la porte du hall d'entrée, Richard enfile rapidement un pantalon et une chemise, traverse pieds nus la petite cuisine et le cabinet médical, et pénètre dans une sorte de vestibule servant de salle d'attente. Il lance joyeusement à la jeune fille:

— Bonjour, mademoiselle Pelletier, êtes-vous surprise de me voir ici à cette heure? Vous savez que je suis en congé aujourd'hui. Profitez-en pour faire un peu de classement, de la conciliation bancaire et du ménage dans le cabinet. Reposez-vous aussi. Il n'y a rien d'urgent pour l'instant.

— Je sais. Je n'ai accepté aucun rendez-vous pour cet après-midi. Vous allez à la pêche avec monsieur Vallée? Avez-vous préparé un lunch? Je vais vous aider à faire des sandwichs et un bon thermos de thé chaud.

Elle débite tout cela d'un seul trait avec une mine joyeuse et en virevoltant comme une danseuse. Svelte et vêtue d'une robe d'été du style des années rock'n roll, son geste gagne en ampleur. Ses cheveux blonds se promènent de chaque côté de sa tête. Il la regarde, estomaqué, car c'est la première fois qu'il lui voit faire ce genre de cabrioles. Il en admire la souplesse mais ne peut s'empêcher de penser que l'endroit n'est pas tellement approprié.

Sans attendre la réponse, avec de grands gestes de ballerine, elle ouvre les armoires à la recherche du contenant hermétique. Un inventaire rapide le révèle, il n'y a pratiquement rien sur les tablettes: un service de vaisselle de quatre couverts, deux marmites de mauvaise qualité et une poêle de fonte plus convenable. Son patron aime manger mais pas cuisiner. La plupart du temps, il dîne à l'hôpital et le soir il mange le plus souvent au *Restaurant du Faubourg* ou à une petite «cabane à patates» où l'on prépare de délicieuses «clams frites». Il lui arrive très rarement de se préparer de quoi manger, encore que les recettes soient simples, courtes et peu coûteuses.

Son examen des armoires terminé, elle laisse voir sa déception:

– Mais vous n'avez rien! Comment allez-vous vous organiser?

Il la regarde, encore étourdi par la vitesse d'exécution et surtout par la manière dont la scène s'est déroulée.

– Monsieur Vallée m'a dit de ne pas me casser la tête, il va me fournir l'équipement et la nourriture. Il m'invite, je ne m'occupe de rien. Comme je n'ai jamais pêché, je ne sais même pas quoi apporter. On va manger à son chalet de toute façon. Puis si j'ai besoin de quelque chose, je l'achèterai avant de partir.

Il a adopté le même débit rapide et, sans doute déconcerté par la danse de la jeune fille, il tourne sur le bout des pieds pour saisir sa casquette sur le réfrigérateur, ce qui lui donne l'air de s'élancer à la manière d'un valseur. Ce mouvement les fait éclater de rire.

– Vous allez au lac à la Truite? Vous avez besoin d'être patient, ça ne mord plus comme avant. Les lacs de Saint-Bernard et de Sacré-Cœur-des-Landes, c'est plus comme c'était; il y a des pêcheurs à plein et les chemins sont trop faciles... depuis que les clubs sont ouverts et que...

Elle n'achève pas sa phrase, constatant que ses «dires» ont autant d'intérêt pour lui qu'une conférence sur la difficulté de reproduction des crocodiles de la Floride. Il chausse ses espadrilles, les idées définitivement ailleurs. C'est sa première vraie journée de vacances depuis un an. Deux fois, il s'est absenté pour se rendre à Montréal pour affaires. Il a profité de ces aller-retour pour embrasser sa mère. Aujourd'hui, c'est différent, car en plus de prendre un vrai congé, il vise un deuxième objectif, plus important que le premier: celui de converser avec quelqu'un que sa mère a connu. C'est le dernier grand point d'interrogation. Il a quasiment la certitude que sa mère est entrée en relation avec monsieur Vallée, le propriétaire de la boulangerie. Lors de son dernier voyage, elle lui a demandé si ce dernier l'avait contacté. La réalité est devenue plus évidente quand au retour l'homme est venu lui offrir son aide, son chalet de pêche, et même, ses services de chauffeur à l'occasion.

Pour en découvrir davantage, Richard a bien essayé de faire parler le docteur Lévesque pour savoir quand et comment il avait fait la connaissance de Madeleine; autant essayer d'ouvrir une huître avec une cuillère à soupe. Ou bien il a détourné la conversation sur un autre sujet, médical de préférence, ou bien il a fait la sourde oreille. Devant ce mutisme, le docteur Cloutier s'est incliné. Mais ce matin, il se promet bien d'explorer la deuxième piste avec plus de ruse et de tact. Beaucoup de faits troublants concernent ces deux personnages et sa mère. Il en connaît juste assez pour être intrigué, mais pas assez pour trouver la solution.

— Avez-vous votre permis de pêche au moins?

Cette question tombe à pic. Naturellement distrait, élevé dans la grande ville, il a complètement omis ce détail.

— Pour pêcher sur le quai ou sur la mer, lui avait pourtant dit monsieur Vallée, ce n'est pas nécessaire, mais dans les lacs, c'est obligatoire.

Devinant par la grimace et le haussement d'épaules la négligence de son patron, elle fait deux pas de cha-cha en direction de son bureau et téléphone à monsieur Gagné. Bien que par tradition il n'ouvre son magasin qu'à 9 heures depuis 30 ans, il consent à préparer le permis de pêche. Se sentant en forme, Richard court les mille pieds le séparant du 5-10-15 *Chez Gérard*, dont l'enseigne disproportionnée lui rappelle celle d'*Archambault Musique*, sur la rue Sainte-Catherine à Montréal. «C'est pour mieux attirer les touristes», lui a déjà expliqué monsieur Gagné, le propriétaire. Dans ce vrai bazar, on trouve des produits pharmaceutiques, des cadeaux de valeur et aussi des babioles aux couleurs criardes en provenance de Taïwan avec l'inscription «Souvenir de la Gaspésie».

Il a juste le temps de payer 1,10 $ pour le permis

que monsieur Vallée arrive au volant d'une vieille camionnette «International» dont le moteur tourne comme un rouet, mais dont la carrosserie est négligée depuis quelques années.

– Comment ça va, Docteur? Avez-vous pris un bon déjeuner? Hum..., pour moi, vous n'avez pas mangé grand-chose. C'est pas grave, on arrêtera à la boulangerie pour prendre une couple de *buns* chaudes qu'on mangera en montant. Y va faire beau en baptême aujourd'hui. On annonce du soleil. Ça devrait mordre. Le calendrier du pêcheur indique bon pour toute l'avant-midi.

À la boulangerie, monsieur Vallée examine le jeune homme dont le teint pâle témoigne du peu de temps passé au soleil. Ses épaules sont frêles, ses mains longues et blanches ressemblent à celles d'un pianiste, se dit le boulanger. Les cheveux longs débordent du collet d'une chemise rouge et noir à carreaux, déboutonnée et pendante par-dessus le pantalon. Il ressemble plus, juge-t-il, à un hippie qu'on nous montre à la télévision qu'à un médecin. Et cette calotte bleu, blanc et rouge du nouveau club de baseball les Expos de Montréal par-dessus une crinière noire ne lui donne en rien l'allure des garçons du village, plus physiques et mieux bâtis que lui. Mais, estime-t-il, il a un genre...

Ils grimpent dans la camionnette et les voilà en route pour une partie de pêche que l'un et l'autre souhaitent fructueuse.

Chapitre 2

C'est en bifurquant de la route du parc de la Gaspésie vers les «colonies» qu'il comprend pourquoi le véhicule a si mal vieilli: gravier, roches, nids de poules et panses de vaches se succèdent sur une route qui grimpe, «comme dans la face d'un cheval». Le conducteur ne semble pas impressionné: il négocie courbes et côtes avec un calme qui témoigne de ses nombreuses années à livrer le pain entre Sainte-Anne-des-Monts et Rivière-Madeleine, et ce, bien avant que les routes ne soient pavées et entretenues durant la saison hivernale. Rassuré, Richard se cale dans son siège en écoutant monsieur Vallée raconter son rôle dans le développement de ces «colonies» avec son usine de sciage, ses camps de bûcherons, et le reste.

Le parler du boulanger contraste avec sa façon de conduire. Son débit est rapide, nerveux, et il hausse les épaules pour rire d'une bonne farce. C'est son tic. Il parsème çà et là son langage d'un «baptême» bien ponctué. Au début de la soixantaine, il mesure environ cinq pieds et huit pouces. Quelques cheveux gris à travers une chevelure noire trahissent à peine son âge. Malgré sa taille et sa maigreur, il dégage une force le faisant paraître plus jeune que l'âge inscrit sur son permis de conduire. Ses mains sont larges et une vieille cicatrice trace une petite ligne rouge sur le côté de sa main droite, entre le pouce et l'index. Un accident bête alors qu'il travaillait avec des chevaux en forêt. Il aime rire, jaser et se targue d'être probablement l'homme le plus connu de tout le côté nord de la Gaspésie.

Ils sont sur le lac depuis plus d'une heure. Seul le guide a réussi à prendre trois truites, d'une dizaine de pouces et plus. Richard, bien qu'il ait suivi attentivement la démonstration et pratiqué des lancers au moulinet, préfère tout simplement laisser dormir la ligne sous la chaloupe. Des truites ont mordu sans qu'il puisse les attraper; il n'a pas acquis le truc de les ferrer rapidement d'un coup sec du poignet. Il pêche sans conviction, laissant son compagnon parler de divers sujets. Ce qui compte avant tout est de pouvoir éventuellement l'amener sur son sujet à lui: sa mère. Il s'imagine à une autre sorte de pêche, et son poisson est assis là, en face de lui. Il ne tient pas à rater sa chance et prépare l'hameçon et l'appât qui conviennent le mieux. Patiemment, il tend une ligne:

– Vous connaissez beaucoup de Cloutier à Sainte-Anne?

– Les Cloutier, y sont pas de Sainte-Anne, y viennent de Mont-Louis, Rivière-à-Claude et Rivière-Madeleine. Dans Mont-Louis, y a presque autant de Cloutier qu'il y a de monde, baptême! blague-t-il en riant, en haussant les épaules et en pointant le menton.

– Ma mère, elle vient de Mont-Louis? laisse aller Richard, mine de rien.

Par cette question d'allure anodine, il espère mettre la main sur un indice important lui permettant d'avancer dans sa recherche.

– Votre mère est de Mont-Louis, mais elle est venue un p'tit bout de temps ici avant qu'elle... Il s'arrête net comme s'il avait déjà trop parlé. On ne vous a jamais parlé de ça?

La figure du vieux pêcheur change, il plisse les yeux et cesse de tourner la manivelle du moulinet en attendant une réponse qui tarde. Il regarde fixement Richard qui se tait.

Ce dernier a le sentiment de s'être piégé tout seul et la question l'oblige à une réponse de Normand. S'il dit oui, il peut être appelé à donner des détails embarrassants. S'il dit non, il risque de rendre méfiant un interlocuteur déjà pas mal refroidi. Et c'est quoi le «ça» qui ne lui aurait pas été révélé?

– Oui, un peu, répond-il, d'un ton qu'il voudrait neutre, elle m'a dit qu'elle venait de Mont-Louis et qu'elle avait travaillé à Sainte-Anne, mais pas plus. Elle m'a dit aussi qu'elle était l'enfant unique d'une petite famille, donc que je n'ai ni oncle ni tante en Gaspésie.

Par cette réponse ni chair ni poisson, il croit

démontrer qu'il en sait assez pour conserver le climat de confiance et ainsi entraîner sa source à continuer de couler. Mais à voir la mine de son interlocuteur, il est certain d'avoir fauté, car le vieux boulanger, s'arrêtant pour sortir une mouchetée de belle taille, ne juge pas bon de reprendre la conversation. Il lui offre plutôt un Porter qu'il aime boire à l'occasion et invite le néophyte à se concentrer sur la pêche.

Pour une deuxième fois, il lui explique et démontre la technique pour bien piquer le poisson:

— Faut pas avoir peur de donner un bon coup sinon vous allez toujours les manquer. Baptême, avec vos p'tits coups maniérés, vous prendrez rien avec ça. Gênez-vous pas, puis arrêtez de dormir, je suis sûr que vous allez en attraper. Y a ben longtemps que ç'a pas été bon de même.

L'enseignement semble vouloir porter fruit puisque cinq minutes plus tard, Richard attrape une truite atteignant les treize pouces. Après avoir accueilli les félicitations de son guide et, à sa surprise, pris plaisir à pêcher, il entend son hôte lui poser une question qui accélère son rythme cardiaque:

— Votre mère, Docteur, est-elle encore aussi belle qu'elle l'était?

Il est si interloqué qu'il hésite à répondre, cherchant à flairer le piège. C'est bien la dernière question qu'il s'attendait à recevoir. Mais cette fois, il ne veut pas rater l'ouverture créée par son vis-à-vis.

Belle, sa mère? Cinquante ans et encore superbe femme, pas grande, cinq pieds et quatre, svelte, brune, pas de cheveux blancs, fière d'elle, une femme à faire tourner les têtes quand elle marche dans l'allée de l'église, le dimanche. Quand elle travaille à la pharmacie, c'est la serveuse la plus recherchée: elle polarise les regards.

– Maman est la plus belle femme que je connaisse, mais je suis très mauvais juge étant son fils unique et son chouchou. Vous l'avez bien connue, ma mère? Elle était belle quand elle était jeune?

Cette dernière question, il l'a posée rapidement, en ne regardant pas monsieur Vallée qui feint d'être occupé à pêcher. Ce qui lui vaut cette réponse tout aussi rapide:

– Je peux vous dire qu'elle était belle en baptême. J'ai fait le saut le soir quand je l'ai vue arriver en avant...

Richard attend une suite qui ne vient pas. Monsieur Vallée s'est arrêté net et fait semblant de fixer quelque chose à l'orée de la forêt comme s'il voyait un animal ou un oiseau.

Ayant été échaudé au cours de la conversation précédente, Richard n'ajoute rien, craignant de gâcher l'occasion. Mais il vient de recevoir la confirmation que cet homme a connu sa mère. Mais quel rapport y a-t-il entre sa mère et cet homme marié, père de deux enfants? De quel soir parle-t-il? Que faisait-il avec sa mère ce fameux soir? C'est donc qu'ils se sont connus plus que Richard le croyait. Il vient aussi de savoir que sa mère a vécu un certain temps dans le village de Sainte-Anne-des-Monts. Richard décide d'aller un peu plus loin, si c'est possible:

— Ma mère, comment l'avez-vous connue?

Son interlocuteur est conscient d'avoir trop parlé, cela crève les yeux. L'hésitation laisse nettement entrevoir le mensonge qui vient:

— Euh... euh... ça fait si longtemps... Me semble qu'elle venait acheter du pain à la boulangerie, oui... c'est ça, et on s'est parlé quelques fois. Je l'avais trouvée bien jolie et plaisante à jaser.

Richard comprend qu'il n'en saura pas davantage et décide de s'affairer à pêcher du mieux qu'il peut. Ensemble ils réussissent une bonne pêche car, vers midi, ils ont capturé suffisamment de truites pour dîner et pour permettre à Richard d'en congeler quelques-unes pour les soupers de cette semaine.

Après le repas, sa sieste faite, monsieur Vallée déclare que la pêche est terminée et propose à son compagnon une excursion à l'entrée du parc de la Gaspésie pour admirer des paysages que Richard n'a pas encore vus. Ils s'arrêtent sur un promontoire naturel pour contempler les monts Jacques-Cartier, Logan, Albert et la montagne de la Table, nommée ainsi à cause de sa forme. Richard est impressionné par la hauteur de ces montagnes et surtout par les blocs de neige et de glace encore bien visibles sur les sommets, à cette période tardive du printemps. Le caribou y vit, dit son guide, parce qu'il y trouve une sorte de lichen comme celui du Grand Nord, ce qui démontre le type de climat subarctique sévissant dans ces montagnes. Monsieur Vallée lui indique les chemins d'accès pour se rendre voir les hordes. Il avoue bien connaître ces endroits pour avoir braconné quelques bêtes avant de comprendre les méfaits de son geste sur le cheptel en reproduction.

Au retour, ils empruntent le chemin de Sacré-Cœur-des-Landes pour jeter un œil sur l'ancien emplacement de l'usine de sciage et des chantiers du boulanger. Ils débouchent sur Saint-Joachim-de-Tourelle et remontent le long du fleuve jusqu'au point de départ.

Avant de se séparer, les deux pêcheurs promettent de retenter l'expérience et cette fois, monsieur Vallée guidera Richard pour pêcher la grosse truite dans un lac du parc et peut-être aussi le maquereau sur le fleuve, s'il n'a pas, bien sûr, le mal de mer.

De retour à son cabinet vers six heures du soir, Richard téléphone à sa mère pour faire le récit du voyage en omettant bien sûr les passages la concernant. Elle semble joyeuse et l'interroge sur sa journée de congé. Dans le feu de la conversation, pensant tout bonnement lui faire un compliment, Richard mentionne que monsieur Vallée s'est enquis de sa beauté. La voix de sa mère change aussitôt, se fait plus inquiète et démontre de la nervosité: elle prétexte la sonnerie de la porte d'entrée pour couper court à la conversation d'une façon plutôt sèche. Le fils est intrigué par ce comportement bizarre: jamais sa mère n'a agi ainsi. Ou bien quelqu'un a réellement frappé à la porte, ou bien ce sont ses paroles qui l'ont bouleversée. Il croit plus volontiers à la seconde option.

Trop paresseux pour se préparer un souper, il marche jusqu'à la «cabane à patates» manger des «clams frites» et quelques bigorneaux dans le vinaigre. Au retour, après un bon bain et une heure de lecture, loin de ressentir les bienfaits du grand air, il reste éveillé, tentant de démêler et de comprendre les renseignements recueillis. Pourquoi sa mère ne lui a-t-elle jamais parlé de Mont-Louis et de Sainte-Anne-des-Monts? Elle a dit être née en Gaspésie sans préciser le village. Ce détail le préoccupe beaucoup maintenant. Pourquoi ne lui a-t-elle jamais parlé expressément des gens qu'elle a connus jadis et que lui fréquente maintenant? Quels liens peuvent exister entre le boulanger, le docteur Lévesque et sa mère?

La journée a été profitable sous bien des rapports, le voyage, agréable et reposant, mais par-dessus tout Richard a trouvé la confirmation de certaines suppositions. D'une part, il sait avec certitude que sa mère a déjà vécu quelque temps dans ce village et qu'elle y aurait rencontré le docteur Lévesque et monsieur Vallée. Pourquoi alors s'est-elle exilée à Montréal? Pourquoi avoir quitté ce coin de pays qu'elle aimait tant? Aurait-elle eu une liaison avec monsieur Vallée? Est-ce que cet homme pourrait être son père?

Ce n'est pas impossible, mais il a plutôt tendance à croire la version de sa mère. Son père aurait été appelé sous les drapeaux au mois d'avril 1944. Le conscrit serait parti pour l'Angleterre en mai, en promettant à Madeleine de l'épouser au retour de la guerre. Au Débarquement de Normandie, en juin de la même année, il aurait été parmi les premiers Canadiens à mettre le pied sur la plage et comme tant d'autres compagnons serait tombé sous le feu de la défensive allemande. L'homme était originaire de Maria, village situé dans la baie des Chaleurs. Sa mère s'est toujours refusée d'en dire plus, vu que la belle-famille n'a pas reconnu la paternité du fils, refusant de subvenir aux besoins de l'enfant. Madeleine n'aurait jamais essayé de les contacter après ce refus qu'elle a considéré comme une insulte et une injustice envers elle et l'enfant à naître.

Après avoir repensé la conversation de l'avant-midi, Richard a la conviction que son copain de pêche lui cache une vérité importante. Une idée germe dans son esprit et un plan lui trotte dans la tête. Si, comme il en a acquis la certitude, Madeleine Cloutier a passé quelque temps dans le village, elle doit avoir laissé des traces quelque part... il y verrait dès le lendemain matin.

Chapitre 3

À l'hôpital des Monts à une heure plus matinale que d'habitude, Richard entreprend la tournée de ses patients avec en plus ceux du docteur Brousseau, en congé à son tour. Mais ce n'est pas pour cette raison qu'il est arrivé aussi tôt. Il travaille consciencieusement, mais en espérant gagner assez de temps pour vérifier le bien-fondé de l'hypothèse échafaudée la veille. Comme il n'est en cabinet privé que dans l'après-midi seulement, il devrait lui rester suffisamment de temps en fin d'avant-midi pour mettre son plan à exécution.

Vers neuf heures trente, au moment de la pause, le docteur Cloutier se présente au bureau des archives médicales et, prétextant la nécessité de retracer l'histoire médicale de la famille d'une jeune patiente, réclame un vieux dossier au nom de Madeleine Cloutier.

– Si le dossier est fermé depuis plusieurs années, lui répond la responsable du service, il faudra recourir aux microfiches. Votre demande n'est pas urgente, pouvez-vous revenir dans une demi-heure?

En consultant le bottin des archives, elle lui confirme que ce nom figure bien dans d'anciens dossiers.

Richard se rend à la cafétéria et commande machinalement un déjeuner dont il a perdu l'envie et qu'il se contente de regarder. La nervosité le gagne. C'est à peine s'il boit quelques gorgées de café, boisson dont il raffole ordinairement. Les questions qui l'ont empêché de dormir la nuit dernière sont de nouveau toutes présentes à son esprit. Il est inquiet. L'un des dossiers au nom de Madeleine Cloutier sera-t-il bien celui de sa mère? Pourra-t-il y retracer le nom de son véritable père? Le rôle de monsieur Vallée sera-t-il éclairci? L'attente excite son imagination vagabonde. Il cure son assiette et range son plateau pour retourner aux archives quand il entend à l'interphone qu'il est réclamé à l'urgence. Pour la première fois, il aurait le goût de ne pas s'y rendre, mais son serment professionnel l'exige.

C'est la course dans tout le service. Le médecin de garde et le docteur Landry sont penchés sur une civière et les infirmières sont occupées. Tout le personnel s'affaire autour des blessés que des ambulances ont amenés. Un terrible accident, un face-à-face entre deux automobiles, dans l'anse de l'Échourie, a causé des blessures graves à quatre passagers. Une jeune femme dans la vingtaine est entre la vie et la mort. Richard se voit confier la tâche délicate de traiter un homme âgé dont la figure est parsemée d'éclats de verre de pare-brise qu'il faut retirer avec minutie. En plus d'être en partie défiguré, son patient souffre de fractures multiples; Richard se voit contraint de le faire anesthésier. Il le soigne tout près de deux heures avant de le transférer aux rayons X. L'œil droit n'a rien mais celui de gauche est attaqué à la cornée et le patient risque de perdre une partie de sa vision.

Aussitôt ce travail épuisant terminé, il s'empresse de retourner au bureau des archives et s'installe devant l'écran pour visionner les deux microfiches remises par la préposée. L'agrandisseur lui révèle que le premier fichier contient trois Madeleine Cloutier. Il prend note de la position attribuée à chacun des noms et à l'aide du pointeur scrute le carré qui correspond à la première indication. Grande déception... Cette Madeleine Cloutier a vécu à Marsoui et dépasse les quatre-vingts ans lors de son décès en 1962. Un nouveau carré, un nouvel agrandissement, pour une Madeleine Cloutier, celle-la originaire de Mont-Louis et décédée le 23 novembre 1944. Encore une fois déçu, il se prépare à retracer la troisième personne du même nom lorsqu'en portant un peu plus attention à la page affichée, il peut y lire la phrase suivante: «A donné naissance, le 16 novembre 1944, à un garçon de sept livres et deux onces, baptisé Roland Richard Cloutier, du nom de sa mère. Cette dernière refuse d'identifier le père.»

Drôle de coïncidence, un garçon, né d'une mère portant le même nom que la sienne, les mêmes prénoms que lui, du même poids à la naissance, de père inconnu lui aussi, sauf que l'autre a perdu sa mère alors que lui a toujours la sienne... De plus en plus intrigant... à moins que... c'est le temps de le vérifier... Sur la microfiche des dossiers Cloutier, il repère rapidement le nom de Cloutier Roland Richard, pointe le curseur dans le carré pour découvrir qu'il n'y a qu'un seul Roland Richard Cloutier: pas de doute, c'est LUI. Le dossier parle d'une naissance suivie du décès de la mère. Tout excité, il retourne au dossier de Madeleine Cloutier numéro deux. Cette dernière est bel et bien déclarée décédée le 23 novembre 1944 après une chute de tension suivie d'un coma. Le constat de décès est signé par le docteur Lévesque, le même qui a procédé à l'accouchement quelques jours auparavant. Dans le dossier à son nom sur l'autre fiche, il est surpris de lire que le parrain et la marraine de l'enfant sont précisément le docteur Anselme Lévesque et Gilberte Bérubé, son épouse. Roland Richard Cloutier, fils de Madeleine Cloutier, voit fondre ses doutes, le hasard peut difficilement coïncider sur autant de détails communs. Voulant comprendre, il scrute chacune des inscriptions et les mémorise toutes. Il note les maladies infantiles comme les poussées de fièvre. Le dossier se termine avec la date du 20 février 1947 et dans la marge la mention «départ». Une annotation écrite en gros caractères et entourée d'un trait noir attire son regard:

COPIE DU DOSSIER TRANSMISE À LA POLICE PROVINCIALE DU QUÉBEC LE 21 FÉVRIER 1947. NO P.P.Q. 470221-152. AFFAIRE NON CLASSÉE.

L.T. GÉRALD MARIN (Signature)

Richard est troublé. Il devient nerveux, ses yeux s'embuent, il a le goût de pleurer mais en même temps, son âme de chercheur et sa logique brassent toutes sortes d'interrogations. Il doute maintenant que celle qu'il croyait être sa mère le soit effectivement. Qui peut bien être cette femme portant le nom de Madeleine Cloutier et qui a agi pour lui comme sa mère? Quel rôle joue-t-elle dans cette histoire? Pourquoi a-t-elle été si bonne envers lui pendant toutes ces années? Pourquoi s'est-elle fait appeler maman sans rien lui révéler? Pourquoi le docteur Lévesque a-t-il accepté d'être son parrain et ne lui en a pas parlé, depuis un an qu'ils se côtoient? On ne retrouve rien sur monsieur Vallée, mais nul doute possible, il est au courant de certaines choses. Quel est son rôle à lui? Pourquoi le dossier a-t-il été remis à la police? Pourquoi la police n'a-t-elle pas fermé le dossier? Si une faute a été commise, par qui l'a-t-elle été?

Plein d'émotions diverses, oscillant entre l'incertitude et la colère, Richard remet sans dire merci les fiches à la responsable.

Son travail est terminé, il est libre de quitter l'hôpital. Mais ses jambes sont si molles qu'il se sent inapte à conduire et demande à la réceptionniste de lui faire venir un taxi. Dès qu'il pénètre dans son cabinet vers une heure, Mlle Pelletier le croit malade et lui demande la cause de sa pâleur. Malgré l'estime et un peu plus qu'il manifeste pour elle, il juge le moment inopportun pour lui révéler le motif de son désarroi. Il désire auparavant élucider des questions dont les réponses lui échappent et, pourquoi pas, il a peut-être commis une erreur d'hypothèse... Ce qu'il souhaite. Il se résigne donc au mensonge: un de ses amis et camarade de classe gravement malade désire le voir avant qu'il ne soit trop tard. Comme l'état de son copain devient critique, Richard a l'intention de se rendre à son chevet le plus tôt possible. Il entend donc partir pour la métropole dès le lendemain. Il insiste pour que les rendez-vous de l'après-midi aient lieu comme prévu, mais que ceux du lendemain soient annulés.

Il se remémore l'offre de monsieur Vallée, et croit pouvoir faire d'une pierre deux coups; il sollicite son assistance comme conducteur pour un voyage urgent à Montréal en répétant la raison donnée à sa secrétaire. Ce dernier accepte avec d'autant plus de plaisir qu'à la retraite ou presque, le temps prend beaucoup moins d'importance pour lui. Faire un tour dans la grande ville n'a rien pour lui déplaire. Il en profite souvent pour assister à un spectacle ou à du sport professionnel grâce à de bons billets, une gracieuseté de fournisseurs avec lesquels il a su garder un précieux contact.

Nicole, prévenante, téléphone à l'un de ses frères de venir prendre la Pontiac dans le stationnement de l'hôpital. Ainsi, Richard n'aura pas à payer une course supplémentaire en taxi pour retrouver sa voiture.

Une autre nuit qui s'annonce longue. Richard ne veut pas la passer à contempler le plafond et à tourner de tous les côtés; il se permet un cachet dont l'effet rapide lui permet d'accumuler de l'énergie pour les périodes difficiles qui s'annoncent.

Dès sept heures du matin, son compagnon vient le prendre pour le conduire à Montréal. Richard a exprimé le désir de partir tôt afin d'être à destination vers trois heures de l'après-midi. Le docteur Brousseau a l'amabilité de remplacer Richard auprès de ses patients de l'hôpital pour les deux prochains jours. Richard communiquera avec la secrétaire pour les autres dispositions, au cas où il ne pourrait être de retour à temps pour ses rendez-vous du lendemain.

Chapitre 4

Dès le début du voyage, Richard invente une kyrielle de raisons pour justifier la liaison d'amitié à ce camarade de collège et d'université. Il crée une maladie dont les symptômes s'apparentent à une leucémie galopante en phase terminale. Il ne peut, certes, dévoiler à son conducteur ses découvertes dans les dossiers de l'hôpital. Ils s'arrêtent à Matane pour déjeuner dans un restaurant dont monsieur Vallée aime l'ambiance, car de leur table ils peuvent jouir du spectacle des pêcheurs lançant leur mouche dans le courant de la rivière pour faire mordre des saumons qui y remontent depuis quelques jours seulement. Son conducteur lui pointe en particulier un jeune pêcheur qui fait tournoyer sa ligne et qui la dépose au moins une centaine de pieds plus loin:

– Lui, y tire une mouche en baptême. Mon garçon lance à soixante-quinze pieds, mais pas de même. J'ai rarement vu un aussi bon moucheur. Regardez comment la mouche se dépose au lieu de tomber sur l'eau.

Richard est indifférent car il ne comprend pas le plaisir qu'on peut trouver à descendre dans l'eau froide jusqu'aux fesses et à répéter inlassablement le même geste chaque vingt secondes. Il n'a pas l'âme d'un pêcheur, du moins pas de ce genre.

Il profite du répit pour téléphoner à celle qu'il a appelée sa mère et la prévenir de son arrivée à la fin de l'après-midi. Il détecte dans la voix de Madeleine de la résignation, comme si elle n'était pas heureuse de le recevoir. C'est de plus en plus étrange de sa part, elle d'ordinaire si chaleureuse et si accueillante. Son intuition féminine et maternelle a dû déceler dans l'intonation de son fils quelque chose de troublant. Richard sent un malaise commencer à l'étreindre. Il ne peut partager ses appréhensions avec son compagnon de route sans risquer de gâcher le plan préparé depuis quelques heures. Il est incapable de décrire cette émotion sans révéler le mystère qui le hante. Si, de plus, cet homme a eu une relation avec sa mère...

Pendant la deuxième portion du voyage, Richard écoute distraitement le boulanger lui raconter des anecdotes du village, des chicanes entre bleus et rouges, et donner un point de vue négatif sur l'entrée en scène du Parti québécois aux prochaines élections. Richard ne partage pas ses vues sur l'indépendance du Québec, mais feint de se rallier, sachant qu'il pourra reprendre cette discussion lors d'un prochain voyage de pêche ou de chasse. En d'autres circonstances, il aurait sauté dans la discussion et tenté de convaincre son conducteur de la nécessité pour le Québec d'accéder à plus d'autonomie afin de sortir de la stagnation en cette fin de Révolution tranquille. Monsieur Vallée craint ce René Lévesque qu'il considère comme un communiste issu d'un Parti libéral déjà trop socialiste à son goût. Richard au contraire aime bien ce politicien, même s'il croit que le Québec n'est pas prêt à se lancer dans une option franchement indépendantiste. Normalement, son sens de l'argumentation aurait pris la défense de cet homme politique dont la sincérité ne saurait être mise en doute, surtout pas par un autre Gaspésien. Il lui aurait vanté les bienfaits de la nationalisation de l'électricité et les avantages qu'en ont retirés tous les Québécois et en particulier les Gaspésiens. Mais il n'a pas le cœur à entreprendre le débat. Il préfère laisser le conducteur déblatérer, se promettant de lui remettre la monnaie de sa pièce un peu plus tard. Il ne fait qu'incliner la tête de temps à autre pour montrer qu'il écoute, sans plus. Il sait pertinemment que la crise d'octobre de l'année dernière a fait craindre à beaucoup de personnes âgées le danger d'une guerre civile au Canada. La perception de Richard est différente: le premier ministre Trudeau a profité de la conjoncture pour faire aux Québécois le coup du «je fais peur au monde».

Ils approchent de Montréal et Richard sent la pression intérieure monter au même rythme que la densité de la circulation. Son désir de connaître la vérité essaie de surmonter cette peur croissante. L'inconnu le tourmente. Quelle sera sa réaction si la révélation qu'il se dispose à recevoir s'avère désolante? Il se persuade de faire le vide pour se préparer à tout accueillir, bon ou mauvais. Il se rappelle que sa mère lui disait, quand il se faisait mal, enfant, de prendre le bobo et de le jeter à l'eau, et ainsi de faire disparaître la douleur. Il souhaiterait pouvoir le faire du pont Jacques-Cartier qu'ils traversent. Ce geste magique de tirer à l'eau un mal importun est une création gaspésienne et depuis qu'il est à Sainte-Anne, il entend souvent donner ce conseil aux enfants. Lui-même le répète à l'occasion pour aider à soulager le mal. L'effet est parfois réel, ne serait-ce que pour détendre le patient.

Ils se dirigent vers la rue Châteaubriand, près du marché Jean-Talon et de la plaza Saint-Hubert. La mère de Richard les attend; elle les accueille à la porte sans qu'ils aient besoin de sonner. En embrassant son fils, elle perçoit sa réticence: son corps reste raide. Elle tend ensuite la main à monsieur Vallée; les deux se regardent longuement comme pour mettre leur montre à l'heure de 1971, près d'un quart de siècle plus tard. Cette façon qu'ils ont de se regarder n'échappe pas à Richard et renforce la décision qu'il a prise.

Elle leur offre du thé et des galettes. Une senteur de cipaille flotte dans l'appartement. C'est le mets préféré de Richard. Dès qu'elle a connu la nouvelle de leur arrivée, elle a demandé un congé et préparé le repas du soir en espérant lui faire plaisir. Pendant leur collation, ils répondent aux questions usuelles sur l'état de la route et de la circulation, l'heure de leur départ, les arrêts qu'ils ont faits, la température en Gaspésie... Puis, c'est la question qui déclenche tout:

—Alors, Richard, qu'est-ce qui t'amène à Montréal, une autre réunion du Collège des médecins ou une session d'études à l'université?

Cette fois, aucun moyen de reculer, le mensonge ne tiendra pas: sa mère connaît presque tous ses amis. Elle les a souvent invités à manger des mets gaspésiens. Leur présence mettait de la vie dans l'appartement, beau mais austère, d'un vieux style anglais aux couleurs de bois foncé et vernis. Comme ils vivaient seuls tous les deux, toute présence étrangère brisait la monotonie et le calme incrustés depuis longtemps.

Décidé à tout, Richard prend les devants dans cette joute où les règles sont inexistantes et les limites non définies. Il surveille attentivement la réaction de cette femme qui le regarde avec autant d'anxiété que d'amour. On dirait qu'elle sait.

— Non, maman, c'est pour une autre raison et tu t'en doutes, j'en suis persuadé. Mais avant de donner le véritable motif, je voudrais m'excuser auprès de monsieur Vallée pour mon mensonge. Ce n'est pas un ami que je viens voir, c'est maman. J'ai besoin d'explications. Je pense avoir découvert qu'elle n'est pas celle que je crois: ma vraie mère serait morte à ma naissance. J'ignore l'identité de celle qui est devant nous. Selon mes autres sources d'informations, la police garderait ouvert un dossier sur moi, pourquoi? J'estime que des explications me sont dues et le plus tôt sera le mieux.

Ces paroles sont dites avec détermination et même un peu de rudesse dans le ton. Richard parle rapidement en s'adressant directement à la femme, fixant ses yeux un peu comme s'il l'accusait d'une faute qu'il ignore. Pourtant il tremble, ses genoux se cognent, ses mains sont moites et son rythme cardiaque a presque doublé, lui donnant des chaleurs sur tout le corps.

S'il croyait que sa déclaration ferait son effet, il n'a pas raté son coup: à mesure qu'il débite son attaque, sa mère passe du rouge au blanc, regardant monsieur Vallée avec inquiétude comme pour y chercher du réconfort. Mais Richard n'a pas prévu la réaction du boulanger. Il se met à respirer très fort comme s'il manque d'air et s'assoit, se laisse choir plutôt, dans un fauteuil en marmonnant:

– C'est pas moi, Madame, je vous jure que j'ai rien dit, baptême. C'est pas moi. Je sais pas comment il a su ça. Qui t'en a parlé, le docteur Lévesque, je suppose? C'est pour ça que tu m'as fait monter avec toi. T'es menteur en baptême.

Jamais cet homme n'avait jusqu'à ce jour tutoyé Richard. Il fallait un grand bouleversement pour qu'il utilise le pronom familier. Vouvoyer les gens a toujours été sa marque de politesse, car il a vécu du commerce et témoigne beaucoup de respect envers sa clientèle. D'ailleurs, les gens lui rendent la pareille: on le connaît plus sous le nom de monsieur Vallée que celui de Jérôme.

Richard, étonné, ne sait pas à qui porter assistance en premier, à elle ou à lui. Une fois les deux remis de leurs émotions, celle qu'il n'ose plus appeler sa mère cherche une forme d'approbation dans le regard de monsieur Vallée et, à un signe de tête positif, entreprend d'expliquer la situation:

– Je me doutais qu'un jour il me faudrait faire la lumière sur le passé; j'en ai toujours repoussé l'échéance, mais je m'aperçois bien que ce n'est plus possible. Monsieur Vallée, je suis convaincue que vous n'êtes pas le responsable, étant dans la même situation que moi. Vous êtes trop étanche, comme on dit en Gaspésie, pour avoir éventé le secret. Richard, dis-moi, comment as-tu découvert que je n'étais pas ta mère? Tu as été bien renseigné. C'est pourquoi je craignais tant ton départ pour ce village.

Richard dresse le bilan de ses déductions et de sa recherche dans les dossiers de l'hôpital. Il répète encore une fois les questions qui le préoccupent. La femme écoute attentivement, un peu prostrée sur elle-même. On peut déceler toute sa douleur par les larmes qui glissent sur ses joues. Pour cacher les traces de cette peine, elle porte à ses yeux un mouchoir de soie rose, qu'elle sort de la poche de sa jupe. Elle n'est pas maquillée; peu à peu, ses joues reprennent leur teinte naturelle.

En prenant une grande respiration, elle redresse les épaules et déclare d'un ton presque solennel:

– Si tu es paré à nous écouter sans interruption, monsieur Vallée et moi, nous allons te raconter l'histoire. Tu seras en mesure de juger, je l'espère, si je mérite encore le noble titre de mère dont tu m'as gratifiée jusqu'à aujourd'hui. Ce que tu entendras en fera la preuve, j'en suis convaincue. J'ignore certains détails, c'est pourquoi monsieur Vallée m'aidera à compléter le récit des événements. Depuis hier, je pressens devoir te donner cette explication. Aussi, j'ai refait dans ma tête la chronologie des événements pour te raconter du mieux possible ce que tu es en droit de connaître. Mais sache que si cet aveu m'est pénible d'une part, il me délivre d'autre part d'un poids que je traîne comme un boulet depuis vingt-cinq ans. J'aurais aimé trouver un moment plus favorable, mais les circonstances sont telles qu'elles m'obligent à procéder maintenant. Je n'ai pas l'intention de me défiler de ce que je considère comme un devoir envers toi. Je pense aussi que, pour monsieur Vallée, cette explication s'avère nécessaire. J'ai cru voir que vous avez développé quelques liens d'amitié. Je suis certaine qu'il appréciera de connaître toutes les péripéties. Tu pourras évaluer la qualité d'homme qu'il fut pour toi comme pour moi.

Richard se sent mal à l'aise devant la proposition d'une écoute silencieuse. C'est une clause du contrat qui lui sera difficile de respecter. Au ton ferme de sa mère, il comprend la délicatesse de la situation; il en convient, elle vise à maintenir la logique de l'explication qu'elle se prépare à donner. Et, comme il la connaît, si elle s'est donné la peine de réviser la chronologie, elle a sûrement tout ordonné avec minutie...

Il n'est pas du tout rassuré par la complicité qu'il a perçue entre le boulanger et sa mère. Leur réaction commune à ses premières phrases amplifie ce doute qui le travaille. Il craint d'apprendre qu'il n'est pas le fils de celui qu'il a toujours cru être son père, le soldat décédé.

Chapitre 5

J'avoue ne pas être Madeleine Cloutier. Mon nom véritable est Antoinette Laflamme. Je ne suis pas non plus née en Gaspésie, mais près de Mont-Joli, dans un rang de Padoue. Un petit village d'à peine quatre cents habitants. Ce coin de pays est une colonie parsemée de terres pauvres sur des flancs de montagnes truffées de roches. La misère fait partie du lot quotidien. Dans ma petite enfance, on patauge au plus profond de la crise économique. L'argent est rare, l'ouvrage aussi. Mes parents font leur possible pour éviter la pauvreté à leur fille unique en m'incitant à poursuivre des études. J'aime l'école et mes résultats scolaires sont bons. Terminant ma septième année en 1933, et seule élève du niveau, il me faut quitter mon patelin pour accéder à des études supérieures. J'ai le choix entre Rimouski et Sainte-Anne-des-Monts. Comme toi, j'opte pour la Gaspésie, mais les raisons diffèrent. Mes parents et moi préférons cette région principalement parce que j'y ai une tante, la sœur de ma mère, sœur Marcienne, religieuse de la communauté des sœurs de Saint-Paul-de-Chartres. Par elle, la congrégation offre à mes parents de payer le prix de ma pension de sept dollars par mois. Ce choix se révèle encore plus judicieux puisque au couvent de ces religieuses, on retrouve l'éventail complet des orientations professionnelles. Les trois grandes professions féminines me sont accessibles dans un même lieu de formation: infirmière, secrétaire et enseignante.

Richard fixe des yeux cette belle femme qui, assise dans le fauteuil noir du salon, s'exprime lentement, d'un ton doux presque chantant. Il dénote dans l'intonation calme de sa voix et son regard franc la volonté de lui livrer toute la vérité. Il a hâte de savoir comment Antoinette Laflamme est devenue Madeleine Cloutier. Elle continue, comme si elle commentait un film qui se déroule devant elle:

Dans les années 30, à l'époque la plus difficile de la Crise, les frères et les sœurs de mon père et de ma mère s'exilent au New Hampshire et au Maine pour travailler dans les «factories». Ils émigrent pour la plupart dans les villes de Manchester, Lancaster et Groveton. On ne les reverra pas souvent. Moi aussi, je m'éloigne puisque je quitte le village au début de septembre pour ne revenir du pensionnat qu'au mois de juin. Je n'ai pas la facilité d'entretenir des contacts avec cette parenté de plus en plus lointaine qui se suffit à elle-même et renie graduellement ses racines québécoises. En fait, je n'entends plus parler d'elle que par ma mère avant sa mort, et encore, elle en savait si peu.

Si mes oncles et tantes ne sont que de vagues souvenirs, vous comprendrez que les cousins et les cousines sont de purs inconnus. Les relations à ce niveau sont radicalement coupées. La plupart, selon ma mère, ne comprennent même plus le français, et dans mon cœur, je ne sens aucun désir de nouer des liens avec les Américains qu'ils sont devenus.

Je suis en dixième année quand mon père est atteint de tuberculose et qu'il est admis au sanatorium de Mont-Joli. Au milieu du mois de février, il succombe à cette grave maladie qui, avec la poliomyélite, fait des ravages terribles au sein de la population. Sœur Marcienne et moi voudrions assister à son service, mais il est impossible de trouver un transport disponible et abordable en cette dure période de l'hiver. Comme si ce n'était pas suffisant, ma mère le rejoint l'été suivant, emportée par la même maladie. J'ai beaucoup de peine; c'est un choc terrible, je me retrouve seule. J'aurais le goût de tout lâcher. Sans le soutien de sœur Marcienne, je crois que j'aurais suivi la recommandation de mes tantes d'aller avec elles travailler aux États-Unis. Quand ma mère est enterrée, ses deux frères et trois sœurs encore vivants sont venus des États. Je refuse l'offre insistante de les suivre. Seule enfant de la famille et orpheline à dix-sept ans, j'opte de continuer de compter sur la générosité de ma tante et des sœurs de Saint-Paul pour terminer mes études d'infirmière.

Ce milieu est devenu ma famille; je me sens plus à l'aise avec sœur Marcienne et les élèves du pensionnat que je pourrais l'être avec des inconnus vivant dans un autre pays. Je n'hésite donc pas à formuler mon choix, qui n'a pas l'heur de plaire à ma tante Lucette. Elle se rallie toutefois lorsque sœur Marcienne prend ma défense en affirmant que je suis assez vieille pour décider toute seule. Et sœur Marcienne, quand elle parle, on n'est pas porté à la contester.

Ne connaissant pas d'autre mode de vie que le pensionnat et la compagnie des religieuses, il m'apparaît tout à fait logique de devenir postulante après ma douzième année et d'entreprendre mon cours d'infirmière. Une fois diplômée, j'entre presque sans transition au noviciat tout en travaillant à l'hôpital. Je suis à l'aise dans l'ambiance et la sécurité que me procure cette congrégation: le groupe de filles de l'école des infirmières et les pensionnaires remplacent ma famille disparue. J'y vis sans souci de logement, d'argent, de vêtements et de qu'en-dira-t-on sur mes origines modestes.

Devenir infirmière n'est pas non plus le fruit du hasard. Comme je n'ai pas de famille où passer les vacances d'été, je travaille aux cuisines ou à la buanderie de l'hôpital et je fais des commissions pour les religieuses et les malades. C'est ma façon de rembourser la pension que supportent les religieuses. J'apprends à admirer le dévouement de ces femmes qui se donnent corps et âme aux soins des malades et des orphelins. Comme je ressens ce même besoin de donner aux autres, devenir infirmière me semble un bon moyen de combler cette aspiration.

Au bout de deux ans de noviciat, on m'accepte comme religieuse à part entière, et je prononce mes vœux temporaires. À la prise d'habit, mon nom en religion devient sœur Saint-Antoine de Padoue, mais on m'a toujours appelée familièrement, sœur Saint-Antoine.

J'entends des gens parler du jour de leurs noces comme du plus beau jour de leur vie; de la même manière, je garde incrustée dans ma mémoire la cérémonie où je devins la fiancée de Jésus. C'est le jour de la fête de la Vierge, le quinze août 1941. Je viens d'avoir vingt et un ans.

Quelqu'un qui n'a jamais assisté à la prise d'habit d'une religieuse ne peut comprendre à quel point cette cérémonie est impressionnante. On nous demande de faire, comme au baptême, une renonciation au péché et, pour le symboliser, chacune des novices est vêtue tout de blanc. Couchées l'une à côté de l'autre, face contre terre, nous démontrons notre humilité et notre obédience pendant qu'on chante en latin les interminables litanies des saints. Nous nous consacrons totalement au service de Dieu en acceptant un anneau, comme celui du mariage, mais c'est avec Jésus que nous faisons alliance. Nous prononçons ensuite nos vœux de chasteté, de pauvreté et d'obéissance. Et pour concrétiser cette rupture avec le monde séculier, le célébrant coupe à chacune une mèche de cheveux.

Et ma chevelure à moi est un objet de fierté car

mes cheveux bruns et lisses me descendent dans le bas du dos. Après la prise de la coiffe, je trouve difficile d'être obligée de les rouler et de les cacher dans une cornette; aussi, chaque soir, quand j'enlève ma capuche, je les peigne et les brosse, essayant de sauvegarder leur souplesse et leur apparence. Je ne me suis jamais résignée à les faire couper tellement ils font partie de ce qui me reste de coquetterie. Mère supérieure m'a souvent incitée à les faire couper sans jamais l'exiger formellement. Elle m'aurait mise dans l'embarras, mais j'aurais respecté mon vœu d'obéissance.

Je suis sous la protection de sœur Marcienne, ma tante, une religieuse respectée non seulement pour son physique imposant, mais aussi pour son expertise et ses connaissances médicales. Cette pharmacienne a connu tous les départements de l'hôpital. Il lui est arrivé de remplacer au pied levé des médecins retardataires lors d'accouchements ou d'opérations urgentes. On a même prétendu qu'elle aurait procédé à des ablations d'appendices et d'amygdales sans l'aide de médecins en titre. Quoiqu'on ne puisse pas le prouver, la chose est vraisemblable. Elle a acquis tant d'expérience et le manque de médecins est si grand en Gaspésie, qu'elle a procédé, j'en suis sûre, à des actes médicaux urgents que les chirurgiens ont couverts par la suite. Sous sa gouverne, je me sens soutenue et je trouve en elle une confidente dans les moments difficiles.

Je commence ma carrière d'infirmière à la salle d'opération. Après un an, comme je démontre des aptitudes dans la prise de décisions, notre supérieure m'affecte à la pouponnière, ou salle des bébés, comme on dit à l'hôpital, à titre d'adjointe. Quand sœur Saint-Cyrille obtient une mutation dans l'enseignement une année plus tard je deviens directrice. Une année et demie après, on m'offre la responsabilité de l'adoption des enfants de la crèche, un travail exigeant beaucoup d'entregent et d'autonomie. Ce qu'on appelle la salle des enfants est divisée en deux services: d'un côté, les enfants malades dits légitimes et de l'autre, ceux qui ne sont pas malades, mais qui ont subi la malchance de naître sans reconnaissance officielle de paternité. On les garde jusqu'à l'adoption ou jusqu'à leur départ pour l'orphelinat à l'âge de cinq ans. Quand on les confie à l'adoption, le plus souvent c'est parce que la mère ne veut ou ne peut pas en prendre charge. Le service contigu, celui des enfants malades, est la responsabilité de sœur Saint-Gabriel.

En tant que directrice de l'adoption, je dois répondre à deux patrons. L'une est à l'hôpital, c'est mère supérieure, et l'autre est le directeur du service Caritas Gaspé; il faut son accord pour mon affectation comme pour ma mutation. Ce qu'on appelle aujourd'hui les Services sociaux sont à cette époque une œuvre diocésaine de charité, d'où le nom latin de Caritas. Le clergé en est le grand responsable devant le gouvernement.

Je dirige ce service depuis quelques mois seulement quand je fais la connaissance de la vraie Madeleine Cloutier. Je me souviens de son arrivée, le 11 novembre 1944, pauvrement vêtue d'un manteau de drap brun, non doublé, tenant une valise de bois peinte en vert et décorée de fleurs blanches. Elle a fait le voyage en voiture à cheval et semble épuisée. La jeune femme est jolie, mais maigre et pas très forte. Prévenue de son arrivée par l'abbé L'Italien, curé de Mont-Louis, village où vit sa famille, je suis allée à sa rencontre.

Très souvent, ce sont les curés des paroisses qui m'annoncent la venue d'une mère célibataire. Il n'est pas rare qu'ils me téléphonent directement pour traiter de sujets délicats concernant ces filles ou leur famille. Je connais tous les prêtres des environs, du moins de nom.

Le curé de cette jeune mère m'a informée qu'elle n'avait que dix-huit ans, elle est donc mineure, et que les parents ont déjà signé les papiers d'adoption. Ces papiers, elle me les remet en pleurant. Je l'installe dans la salle des femmes et la console du mieux que je peux. Elle me fait pitié et sa fragilité me préoccupe.

Le lendemain, je vais la retrouver à son lit. Elle me fait le récit de ce que j'ai déjà raconté à propos du père de l'enfant, de son enrôlement et de sa mort pendant le débarquement de Normandie. Elle ne s'explique pas pourquoi les parents du soldat, prétextant les mœurs légères de la mère, refusent de reconnaître la paternité de leur fils. Cette rencontre avec la famille du père semble avoir été pour elle un événement aussi pénible que la mort du jeune soldat. Après avoir parlé longuement avec ta mère, je peux affirmer qu'elle n'a rien d'une femme aux mœurs répréhensibles et que cette allégation est totalement fausse. Au contraire, je crois tous ses dires concernant l'amour manifesté envers ce jeune homme et la promesse qu'ils s'étaient échangée d'un mariage dès la fin de la guerre.

C'est dans les larmes qu'elle me fait part du déchirement qu'elle va vivre à confier son enfant à l'adoption. Elle le fait uniquement à cause de ses parents, qui ne veulent absolument pas devenir la risée du village. Ils souhaitent que cette grossesse illégale n'entache pas la famille. Déjà, ils l'ont obligée à cacher son ventre grossissant en la confinant à la maison sous le prétexte d'une maladie. Incapable d'éviter l'ascendance parentale, elle s'est résignée à accepter une signature à laquelle elle n'aurait jamais consenti si elle avait été majeure et plus riche. C'est une soumission ultime que ce sacrifice, les circonstances la contraignent. Je suis convaincue que cette jeune mère subit un martyr inévitable. Il y a tant de larmes et d'émotions dans son récit qu'elle ne peut mentir. J'aurais détecté le mensonge.

Antoinette s'arrête un instant pour reprendre

son souffle, permettant à Richard de faire le point. Il est maintenant rassuré sur l'identité paternelle, mais la relation entre Antoinette Laflamme et le boulanger reste encore confuse.

Je m'attache à cette fille, continue la narratrice. J'admire sa franchise et sa droiture. Son visage frêle et pâle représente la preuve qu'elle a été cloîtrée dans la maison et qu'elle n'a pas souvent vu le soleil. Comme elle nous est arrivée aux derniers jours de sa grossesse, nous n'avons pas assez de temps pour lui redonner des forces et la préparer à l'événement. Aujourd'hui, avec les moyens modernes, on lui donnerait probablement des sérums, mais dans ce temps-là, il n'y avait pas grand-chose à faire.

L'accouchement s'annonce difficile. Dans les douleurs pendant trente-six heures, elle perd beaucoup de sang. Au moment de la délivrance, le docteur Servant est introuvable. Sœur Marcienne donne alors l'ordre de l'anesthésie en attendant qu'on rejoigne le docteur Lévesque. C'est avec peine et misère qu'ils mettent le bébé au monde. Les eaux crevées, redoutant l'asphyxie, ils utilisent les forceps, ce qui provoque une déchirure de plusieurs pouces. Déjà pas forte d'avance, elle ne résiste pas à l'effort trop grand, à l'éther, à la déchirure et fait une chute de tension rapide et incontrôlable. Elle tombe dans un état comateux pendant cinq jours; nous sommes presque certains qu'elle n'en sortira pas. Ses parents viennent lui rendre visite, mais déclinent mon invitation à voir leur petit-fils. J'avoue éprouver une envie terrible de les sermonner, mais mon respect pour la mère et ma condition de chrétienne m'en empêchent, malgré le mal que j'en ressens. Je suis incapable de comprendre.

Le sixième jour, alors que tout espoir semble disparu, Madeleine s'éveille et d'une voix éteinte réclame son bébé. Nous lui présentons ce fils en santé de plus de sept livres mis au monde avec tant de difficultés. En pleurant, elle exprime le vœu que l'enfant soit prénommé Roland, comme son père, et Richard, comme son grand-père maternel. Et là, en présence de l'aumônier, du docteur Lévesque et de sœur Marcienne, elle prononce les paroles qui auront tant de conséquences pour nous tous:

– Mère Saint-Antoine, je vous confie mon enfant et vous demande de le faire élever comme si c'était le vôtre. Promettez-moi de lui donner ce qu'il y a de mieux.

En lui tenant la main, je jure à Madeleine Cloutier de veiller sur ce bébé comme sur mon propre fils et de lui choisir des parents qui le rendront le plus heureux possible.

L'aumônier lui administre les derniers sacrements et une couple d'heures plus tard, elle retombe dans le coma. Elle meurt le lendemain sans avoir repris conscience. Sur sa dépouille, je refais la promesse d'accorder à Roland Richard ce qu'il y a de mieux. Je verrai personnellement à ce qu'il reçoive l'amour de gens désireux d'en faire leur vrai fils. Je ne mesure pas à ce moment-là l'ampleur de ma promesse. Dans mon esprit, les critères d'adoption seront simplement plus sévères, le choix des parents plus rigoureux, c'est tout.

L'enfant est baptisé avec les prénoms prévus par la défunte. L'abbé Tanguay préside au sacrement en présence des parrain et marraine, le docteur Lévesque et son épouse, qui ont répondu positivement à ma demande. J'estime que ces personnes sérieuses et honnêtes pourront superviser les futurs parents.

Au début, je m'occupe de l'enfant un peu plus que des autres bambins du service. Je le prends en pitié à cause de la mort de sa mère. Je veux tenir mes engagements envers la défunte, je me sens plus portée vers lui.

Je le constate rapidement, chaque jour je m'attache un peu plus à sa petite personne. Il devient le plus beau bébé de mon secteur, je suis fière de lui. Quand il pleure, je suis la première rendue. J'apprends à déceler les moindres changements de ton dans ses pleurs. Je devine ses moindres désirs, décodant la faim ou le besoin d'être changé de couche. C'est moi qui le lave, le berce et le borde à la fin de la journée. Les autres religieuses me laissent faire sans rien dire.

Ce poupon devient sans contredit le centre de mon attention. Je veille sur lui presque jour et nuit. Je dors même à côté de son lit quand il attrape un jour un rhume inquiétant. Le soir, je reste un peu plus longtemps près de son ber. Je m'organise pour veiller sur son sommeil.

L'enfant n'a rien d'un bébé compliqué, sa santé est parfaite. Comme les autres bambins, il passe à travers la période de la percée des dents sans trop de difficultés. Les premiers pas se font avant même les neuf mois. C'est une attraction de voir ce petit bout d'homme se promener d'un lit à l'autre. Il possède à dix-huit mois un vocabulaire étonnant pour son âge. Son parler est franc. Il surpasse nettement les autres du même âge. Il est affectueux, rieur et aime jouer. Un enfant à aimer, quoi!

Richard ne peut contenir son émotion et une larme coule sur sa joue. Il commence à deviner la suite de cette histoire d'amour entre cette femme et l'enfant qu'il a été. Mais il ne peut s'empêcher d'imaginer cette jeune femme, cette mère qu'il n'a jamais connue. Il se révolte contre ses grands-parents d'avoir refusé de voir leur petit-fils. Dans sa logique, c'est un double affront à une mourante et à un enfant innocent. Il voudrait interrompre le récit pour en savoir plus sur Madeleine Cloutier, mais il craint de rompre son contrat et de détruire l'atmosphère chaleureuse créée par la narratrice.

Chapitre 6

Antoinette se lève, se verse un peu d'eau, replace sa jupe, se rassoit et reprend le récit avec le même ton lent et doux:

Avant de continuer mon histoire, il faut te familiariser avec les lieux. Tout s'est déroulé dans ce vieil édifice rouge et crème que tu as admiré, en plein centre du village. Devant coule le fleuve Saint-Laurent que les villageois appellent la mer à cause de sa largeur, si grande qu'on ne distingue pas la rive opposée. À côté, une belle église, presque une cathédrale, érigée en face du grand quai. Selon les photos que tu m'as montrées, le secteur a conservé la même apparence qu'il y a vingt-cinq ans.

Richard va parfois marcher sur le quai comme la plupart des gens du village. Il a photographié ce vieil édifice et l'église de pierres tout en hauteur avec en arrière-plan la Côte de la Croix. Son œil de photographe amateur a remarqué les grands érables de chaque côté de l'ancien hôpital. Leurs feuillages d'automne teintés de rouge, de jaune et de violet lui ont permis de décorer son bureau de paysages pittoresques. Quand Antoinette lui décrit les lieux, il a l'impression de revoir, dans l'objectif de son appareil-photo, ce vaste décor enrichi par une nature généreuse en coloris. Antoinette ne s'arrête que pour reprendre une bonne respiration et continue:

C'est à l'arrière de l'ancien hôpital que tout est changé. Au temps de ces événements, l'espace est presque cyniquement occupé par un cimetière qu'on a déménagé depuis de l'autre côté de la Grande Rivière Sainte-Anne. Un peu coincé entre la ferme du curé et ce lieu d'enterrement s'étire un couvent à trois étages qu'on appelle le pensionnat, où vivent près de trois cents filles de tous les coins de la Gaspésie, de la baie des Chaleurs et de la Côte-Nord.

Une cour, de quelques centaines de pieds de largeur, pas plus, sépare le pensionnat du cimetière. Pour dire comment l'espace est comprimé, peut-être cent pieds seulement séparent le coin de l'hôpital et le bout du pensionnat. Une telle promiscuité est invivable si on n'est pas membre d'une communauté. Pour nous, les religieuses, le regroupement est un avantage, les hospitalières et les enseignantes peuvent se côtoyer plus facilement. On partage la même chapelle, le même réfectoire, et les échanges entre les deux groupes de travailleuses sont facilités. Ce que nous, les hospitalières, apprécions le plus, est le contact culturel avec l'école. On y fait de la musique, on y donne des cours de chant, des cours d'anglais ou de français, et on peut assister à des concerts donnés par des élèves ou des invités de l'extérieur.

L'hôpital comporte plusieurs étages. Le demi-sous-sol abrite les cuisines, la buanderie, le réfectoire des sœurs, la morgue et l'urgence. Au rez-de-chaussée, se succèdent de l'est vers l'ouest une chapelle, le bureau principal, la pharmacie, la salle des hommes, le bloc opératoire avec les rayons X et l'appartement de l'aumônier. Le premier étage est occupé par la salle d'accouchement et la salle des bébés. Au-dessus de la salle d'opération, à l'autre bout de l'étage, se trouve la salle des enfants malades et juste à côté, la crèche; les deux endroits sont séparés par une demi-cloison de bois surmontée d'une paroi de verre. En face, au centre, c'est la salle des femmes. Les deux étages supérieurs sont divisés en chambres et en bureaux des médecins.

Presque dans le grenier, sous le toit, se cachent les cellules des sœurs. Chaque religieuse dispose d'une modeste chambre d'à peu près huit pieds sur sept. Collé contre le mur, la tête vers la fenêtre, un lit de trente-six pouces de largeur occupe une grande partie de l'espace. Sur le mur opposé au lit, une petite table de lecture, une chaise, un prie-Dieu, un lavabo surmonté d'un miroir et un placard servant de garde-robe, de classeur ou de cachette personnelle. Ce n'est pas grand, mais c'est ton coin intime, ta propriété à toi, car tout est communautaire: chapelle, réfectoire, salle de détente, salle de bains, argent, livres... Moi, j'aime bien mon petit réduit confortable malgré tout. J'y ai mes cachettes dans le haut de l'armoire: des cahiers de chansons, une paire de jumelles, une bible illustrée reçue en cadeau et un catéchisme que j'ai retrouvé dans la chambre de ma mère après son décès.

Ma lucarne me donne une vue superbe sur le fleuve et de là, j'assiste à la construction du quai fédéral par la Porter Company, cette entreprise sans âme qui ne se gêne pas pour faire travailler le dimanche. J'ai beaucoup de chagrin en pensant aux pauvres gens qui gagnent leur vie en ne respectant pas le jour du Seigneur. De ma fenêtre, j'assiste comme témoin impuissant au naufrage d'un navire étranger venu s'échouer près du quai lors d'une terrible tempête de l'équinoxe d'automne. Je peux suivre le sauvetage *in extremis* des membres de l'équipage grâce à un câble tendu entre le bateau et un tracteur arrimé sur le quai. Je bénéficie d'une meilleure vue que mes consœurs des cellules arrière, qui ne voient que le cimetière et le pensionnat. De ma table de travail, je peux voir entrer les visiteurs, arriver les ambulances et se promener les gens sur la route. Avec les jumelles (dont la supérieure ignore l'existence) reçues en cadeau, je peux distinguer les pêcheurs assis sur les parements du quai et surveiller les mouvements des bateaux, en particulier le *North-Gaspé* transportant nos produits de pharmacie, la nourriture non périssable et nous amenant des visiteurs et des malades de la basse Gaspésie. C'est aussi l'époque des goélettes et des caboteurs. Le quai est presque toujours plein de monde. C'est un lieu de rassemblement aussi naturel pour une population côtière que la gare dans un village de l'intérieur des terres. J'ai beaucoup de plaisir à surveiller cette vie à l'aide des «longues-vues». Elles sont assez puissantes pour me permettre de reconnaître les gens déambulant sur le quai ou sur le parvis de l'église.

Entre le pensionnat et l'hôpital, j'ai dit qu'on disposait d'une cour arrière à l'usage des pensionnaires et des religieuses. L'été, on y installe les balançoires et l'hiver, une patinoire et des glissoires qui font les joies des étudiantes. J'aime chausser les patins à l'occasion, mais encore mieux glisser sur un carton dans la grande descente glacée, disposée à l'autre bout de la cour. Il paraît que ma présence à cet endroit est remarquée: les filles rient, car je joue des tours et agace tout le monde. Même mère supérieure vient nous rejoindre, et quelquefois je réussis à lui faire faire une glissade au grand plaisir des personnes présentes. C'est tout un exploit de ma part.

En forêt, sur le chemin du Parc, la communauté possède un chalet en bordure de la Petite Rivière Sainte-Anne où, le dimanche après la grand-messe, nous nous rendons profiter d'un congé. Il est possible de se baigner à l'abri du public, de revêtir des vêtements civils, de jouer et de courir dans un champ qu'on transforme en terrain de jeux. J'aime séjourner au «Bocage», comme on nomme ce complexe d'une dizaine de chambres, d'une cuisine et d'une petite chapelle en annexe. Je peux y dépenser beaucoup d'énergie et faire la folle, étant celle qui crée le plus d'animation. Il m'arrive de pêcher la truite le long de la rivière en compagnie d'une autre religieuse du même âge que moi. Mais avec l'arrivée de l'enfant, les choses changent, j'y vais moins souvent.

Elle s'attriste en achevant cette phrase. Elle a mis de la chaleur dans sa description du Bocage et du souvenir qu'elle en garde. Malgré la nostalgie des dernières paroles, l'expression de sa voix ne dénote ni l'amertume ni l'accusation. On comprend en voyant son sourire mélancolique que les circonstances ont modifié le cours des choses sans que personne ne soit fautif. C'est du moins ce que Richard déduit de la réflexion lancée du même ton doux affable depuis le début.

L'évocation du Bocage fait remonter d'excellents souvenirs. Antoinette voit défiler devant ses yeux le grand champ où elle organisait des courses entre les religieuses et les novices. Elle sourit en se souvenant avoir fait trébucher sœur Saint-Gabriel qui lui avait coupé le passage à l'arrivée, lors d'une de ces fins de compétition: un vrai plaqué forçant la religieuse à marcher le dos courbé pendant quelques jours. Sœur Saint-Antoine avait été grondée par la supérieure. L'incident a vite été oublié par les témoins, mais pas par les principaux acteurs... D'ailleurs, quelques semaines plus tard, la même religieuse a essayé de se venger en la poussant alors qu'elles jouaient au ballon-chasseur. Mal lui en prit, elle s'est tournée sans voir venir le ballon qui l'a frappée dans le haut de la joue gauche. On s'est affairé autour d'elle; mis à part un œil au beurre noir, elle s'en est bien tirée.

Elle efface vite cette réminiscence pour continuer:

Je suis membre de la chorale de la communauté. Aux messes du matin et du dimanche, je suis une des solistes et j'agis souvent comme lectrice aux offices de la méditation et des vêpres. Je puis l'avouer sans fausse humilité, j'ai été gratifiée d'une belle voix. Profitant de ce talent, je chante beaucoup et je sais qu'on aime m'entendre à la chapelle. J'adore aussi fredonner et j'ai de l'oreille pour mémoriser des chansons populaires. Je syntonise en cachette la radio de C.H.N.C. New-Carlisle dans les chambres des patientes pour apprendre des chansons profanes. Je me spécialise dans le répertoire du Soldat Lebrun et de Tino Rossi. Je suis bien avertie: il n'est pas question de faire entendre ces airs ailleurs qu'au Bocage, mais encore il ne faut pas déranger les autres. Quand c'est possible, on se regroupe à l'écart sous les arbres et sœur Saint-Pamphile accompagne sur sa guitare le pot-pourri de mes chansons populaires. On rit beaucoup... jusqu'à ce que mère supérieure nous arrête, et le scénario recommence la fois suivante. Ce sont les plus jeunes religieuses bien sûr qui participent; les plus vieilles réprouvent notre manière de faire et demandent à la directrice d'intervenir si le groupe chante trop fort ou dérange, selon leurs dires.

Richard en convient facilement, Antoinette est dotée d'une belle voix. Elle lui a fredonné beaucoup de chansons gaspésiennes: le plus beau fleuron de son répertoire restera *Partons la mer est belle*. Dans ses souvenirs, c'est l'une des plus belles mélodies entendues. Comme une vraie mère, elle a endormi son fils avec des berceuses et des airs des recueils de *La Bonne Chanson* comme peu de mères peuvent le faire. Depuis qu'elle habite Montréal, le répertoire s'est agrandi; elle puise maintenant dans les airs de Félix Leclerc, de Gilles Vigneault et de Nana Mouskouri. Elle s'amuse encore à imiter Édith Piaf et Patachou.

Elle s'interrompt un moment, le temps de voir Richard revenir à la réalité:

Je continue de situer les lieux. Au bout des quatre premiers étages, du côté est de l'hôpital, on a accès à une galerie assez large pour marcher plusieurs de front. Un escalier relie l'extrémité de ces promenoirs. L'hiver et les soirs d'été, on ne peut trouver d'endroit plus agréable pour prendre l'air en groupe, marcher ou simplement jaser. Du côté ouest, ce sont les escaliers de sauvetage attenants aux petites galeries privées. La première est réservée à l'aumônier, la deuxième aux sœurs supérieure et économe, les deux autres aux médecins et au personnel civil. L'accès y est autorisé, mais de jour seulement, aux malades qui vont par beau temps profiter de cet endroit éclairé par le soleil de l'après-midi. Au niveau de nos cellules, pas de galerie ni de promenoir, mais un étroit escalier de sauvetage en fer que j'aurais voulu quelquefois utiliser, mais que je crains de voir s'écraser. Cet amas de ferraille suspendu par une corde au toit de l'édifice bascule vers le bas à mesure que le poids est suffisant pour faire relever le contre-poids. Je ne sais pas pourquoi, mais son métal brun et rouillé ne m'inspire aucune confiance. Il ne peut servir qu'à descendre et s'il est utilisé, les grincements des poulies alertent tout l'édifice. J'en ai discuté avec la sœur économe qui n'a jamais donné suite à mes remarques, estimant mon comportement enfantin. «Les ouvriers de la communauté ont bien d'autres choses à faire, dit-elle. Vous savez bien que le fer, c'est résistant. En plus, ça sert jamais, ces escaliers-là.»

L'entrée principale est mal conçue. Il faut grimper, le mot n'est pas trop fort, un escalier d'une douzaine de marches. Quand on est souffrant, blessé ou infirme, ce n'est pas facile. Je vais rarement dans ce secteur, à moins d'accompagner une patiente qui a obtenu son congé ou un enfant adopté.

Richard affectionne ce vieux monument architectural sans doute peu fonctionnel mais tellement imposant avec sa façade élevée et ses colonnes soutenant le toit du hall d'entrée. Par contre, il le juge dangereux: un vrai nid à feu avec ses matériaux inflammables. La hauteur de l'édifice ne devait pas favoriser la rationalisation du travail. Il s'estime beaucoup mieux organisé dans la nouvelle construction de ciment gris, beaucoup moins jolie, certes, mais conçue vraiment en fonction du malade.

Richard se rend compte que ses réflexions ne ralentissent pas le récit; Antoinette est sur sa lancée et ne semble pas vouloir s'arrêter.

Chapitre 7

Pour mieux comprendre la suite des événements, il est important de connaître notre système d'adoption, original mais efficace. Nous devons nous conformer à des procédures assez rigides, respectant en cela les recommandations de Caritas Gaspé, l'équivalent, je l'ai déjà mentionné, du service social d'aujourd'hui. Monsieur l'abbé Fournier en est le responsable. Ce prêtre accepte graduellement de me faire confiance au point de me laisser gérer, sous surveillance éloignée, les affaires de notre crèche. Résidant à Gaspé, ce représentant du diocèse vient rarement nous visiter, sauf pour compléter une enquête sur des parents en probation d'adoption ou pour une visite de courtoisie à peu près tous les deux ou trois mois. Avec l'ancien directeur, l'abbé Breton, je ne suis pas certaine que j'aurais joui d'autant de latitude. Aujourd'hui, quand j'y pense, j'ai quelques remords car, à la suite de notre départ, l'abbé Fournier a été muté comme surveillant d'élèves au Séminaire de Gaspé. On ne lui pardonnera pas l'autonomie qu'il m'a accordée et son ignorance de mon affection pour l'enfant. Je n'ai pas eu de nouvelles de lui depuis, mais j'en conserve un excellent souvenir. J'espère un jour le rencontrer pour m'excuser... s'il n'est pas mort, car il doit sûrement dépasser les soixante-dix ans maintenant.

Le dimanche représente une journée animée à l'hôpital: des malades reçoivent de la visite, des religieuses, leurs parents, bref c'est un va-et-vient dans tout l'édifice. Ce jour a pour moi un sens différent. À chaque quinzaine ont lieu les visites des personnes susceptibles d'adopter les enfants de la crèche. Il faut subir la fébrilité des parents qui viennent choisir un enfant, la nervosité des enfants et souvent consoler de la déception et de la peine ceux qui n'ont pu réussir le processus.

Pour adopter un enfant, les parents rédigent une demande et doivent se soumettre à une vérification serrée, commandée je l'ai dit par Caritas Gaspé, qui assure la responsabilité générale du processus. Mais nous, en raison de l'éloignement et de nos besoins, nous remplissons nos propres documents d'enquête que nous faisons ratifier par le siège social. Pour les fins de sélection, la qualité des demandeurs est vérifiée auprès du curé de la paroisse, du maire, du médecin ou de l'infirmière du village. Le critère premier est la stérilité des parents, médicalement confirmée ou acceptée de facto après dix ans de mariage infertile. En deuxième lieu, ils doivent être de bons catholiques, avoir les moyens financiers de subvenir aux besoins de l'enfant et jouir d'une bonne réputation. Quelquefois, des références spéciales d'un député ou d'un haut fonctionnaire peuvent activer les procédures. Je n'apprécie pas particulièrement les recommandations des hommes politiques, mais notre supérieure m'a fait comprendre la nécessité des subventions pour le développement de notre centre hospitalier; des apports financiers dépendent souvent de ces petits services rendus. Je dois donc concéder, mais je m'en confesse chaque fois que l'occasion se produit.

Quand leur candidature est acceptée, les parents s'amènent à tour de rôle deux fois par mois, le dimanche. C'est séparément qu'ils examinent les enfants identifiés par un numéro à la tête du lit ou sur le vêtement quand ils sont en âge de se déplacer. La visite terminée, le premier parent place le numéro de l'enfant qu'il priorise dans une enveloppe. L'autre parent fait une démarche identique, et si les deux s'accordent sur un choix commun, l'adoption est confirmée.

En apparence la procédure peut sembler froide et être perçue comme une forme de magasinage, mais elle comporte de nombreux avantages. C'est un procédé simple qui garantit l'unanimité des parents et prévient les discordes; les deux futurs parents étant des partenaires égaux dans la décision. Si l'accord n'est pas atteint, ils ne peuvent exercer de nouveau leur privilège avant que la liste d'attente ne soit épuisée, c'est-à-dire avant deux, quatre et parfois six mois selon la demande. À cause de cette formalité, certains ont dû attendre trois et même cinq ans, avant de réussir un choix concerté. J'ai même découvert que des parents, en désaccord sur le sexe de l'enfant à adopter utilisent la mécanique en vue de retarder une décision pour forcer un dialogue en profondeur.

Ces dimanches représentent un danger pour l'enfant et pour moi. Une menace de plus en plus pressante à mesure que le bébé grandit. Les premiers mois de la naissance, je n'ai pas trop de difficulté à soustraire Roland, comme on le nomme à cette époque, à ces visites bimensuelles: ou bien je n'accroche pas de numéro au lit, ou encore je transfère l'enfant du côté des enfants légitimes si sœur Saint-Gilbert est de service. J'invoque le fait que le petit est un peu souffrant et que ces visites l'empêchent de dormir pour obtenir son consentement immédiat. Nous sommes du même âge, nous avons fait notre noviciat ensemble; elle comprend et avec discrétion m'accorde son aide sans poser de questions. Quand sœur Saint-Gabriel est à l'étage, c'est une autre paire de manches. Son département est «LE» département de l'hôpital et les illégitimes, comme elle les appelle, doivent demeurer de leur côté. Je ne suis pas du genre à décrier une autre religieuse, mais elle, j'ai de la difficulté à la tolérer. Avec cette «rechigneuse», il est impossible de partager les tâches communes aux deux services ou d'échanger des heures de garde. Je suis heureuse quand elle s'absente pour un congé ou une maladie que je ne lui souhaite pas, mais presque... Elle est méchante et surveille tout ce que je fais. Elle rapporte mes gestes à la supérieure, et beaucoup d'entre nous la soupçonnons de fouiner dans nos rapports pour trouver quelques imperfections à moucharder.

Certains dimanches en cas de danger, je triche

un peu avec la procédure. Si je constate que le numéro du petit Roland est inscrit, je l'échange avec celui d'un autre qui n'a pas été retenu. Même si les parents s'accordent pour choisir l'enfant, il ne peut y avoir correspondance dans les numéros. J'ai sauvé quelques adoptions grâce à ce truc. Par deux fois, j'ai même fait adopter un enfant que des parents n'ont pas choisi. Dans l'énervement ils n'ont pas vu que j'avais changé les vêtements de Roland avec ceux d'un autre, retardant par ce manège son départ de la crèche. Je n'ai reçu aucune plainte. J'essayais de choisir des enfants qui se ressemblaient assez pour qu'il soit difficile de faire la différence.

D'autres fois, j'informe un des parents que le petit est atteint d'une maladie incurable ou encore qu'on n'a pas diagnostiqué son mal. Subtilement, j'ai juste à prétendre qu'il souffre peut-être du grand mal, ou d'épilepsie comme on dit maintenant, pour qu'aucun parent ne le choisisse. C'est incroyable comme les gens craignent cette maladie. Le manège s'avère efficace pour autant que je suis seule avec les parents et qu'aucune autre religieuse ne soit aux alentours. Je me méfie surtout de sœur Saint-Gabriel que je surprends à quelques occasions en train d'écouter dans les corridors ou d'écornifler dans les vitrines qui divisent nos services.

Je fais aussi appel à mes connaissances pharmaceutiques. Quelques gouttes d'un calmant doux dans son lait font suffisamment dormir l'enfant pour me permettre d'invoquer une fièvre quelconque et forcer le transfert au service des enfants malades.

Au cours du premier hiver suivant la naissance, je suis moins inquiète. À cette époque, comme la plupart des villages n'ont pas l'électricité et souvent même l'eau courante, les parents susceptibles d'adopter préfèrent jeter leur dévolu sur des enfants plus âgés, d'un an et demi ou deux. Ils évitent ainsi le lavage de couches, le chauffage la nuit et l'obligation de se lever souvent. Au printemps ou à l'été, l'inverse se produit: tout jeune bébé de moins d'un an devient susceptible de partir plus rapidement. J'appréhende donc l'arrivée des beaux jours et manigance d'avance toutes sortes de ruses pour ne pas être prise au dépourvu.

Je commence alors à le comprendre, je suis capable de tout pour retarder le départ du fils de Madeleine Cloutier et le garder avec moi. Même à mentir et à tricher. Remarquez, je ne suis pas fière de moi quand je raconte tout cela, mais si tu veux savoir, Richard, il faut que je t'informe de tout, même des mauvais coups que j'ai pu faire.

Le serment à ta mère prend une nouvelle dimension et dicte ma conduite. C'est du moins la raison facile que j'invoque pour justifier mon comportement. Au début, je refuse l'évidence. Je suis tiraillée entre ma promesse d'obéissance faite à Dieu le jour de ma prise d'habit et l'autre à la mère de considérer son enfant comme le mien. Car je le considère comme le mien à mesure que le temps passe. Souvent, la nuit, je fais des cauchemars. Je le vois dans une maison avec de vrais parents. Je me réveille avec l'impression nette de le priver d'un bonheur que je ne peux lui donner à la crèche. D'un autre côté, je me pardonne facilement: dans notre hôpital je vois défiler tant d'enfants malades qui manquent de nourriture, d'hygiène ou de vêtements, j'ai peur que ce soit le sort réservé à Roland. Cette crainte apaise ma conscience.

Au mois de mai 1945, la situation devient dramatique: Roland atteint maintenant l'âge de sept mois et se traîne à la grandeur du service. Il est plus difficile de cacher sa présence, de le faire dormir, bref de le rendre moins visible. Par surcroît il est, sans contredit la coqueluche des religieuses de l'étage. Chacune veut le bercer, le promener sur la galerie et même l'emmener au pensionnat, où les filles jouent avec lui et le gavent de chocolat et de bonbons. Les infirmières parlent de lui aux malades et à certains parents susceptibles de l'adopter. Elles veulent son bonheur, mais ignorent qu'elles causent aussi mon malheur. Certaines de mes consœurs s'étonnent que l'enfant n'ait pas encore été sélectionné et croient devoir faire de la publicité pour hâter sa sortie. Mais je veille au grain et le couve comme une mère. J'ai les yeux sur tout ce qui peut se tramer autour de lui. Peu de détails échappent à mon contrôle. Je m'organise pour être en fonction à chacune des visites d'adoption et prépare un plan pour esquiver toute sélection.

Pour éviter de m'absenter, je renonce aux plaisirs du Bocage à peu près trois dimanches sur quatre, délaissant chansons, jeux et rires. Je veux rester le plus près possible de l'enfant. Je crève de jalousie, je l'avoue, quand une autre sœur s'occupe de lui, joue avec lui, l'embrasse ou simplement le berce en chantant une chanson ou en racontant une histoire. Sa beauté, son rire facile et sa jasette en font l'enfant le plus cajolé du service. Ce qui attire les gens, c'est qu'il sait retourner leur affection. Plus j'apprends à l'aimer, plus je suis en danger de le perdre. Même sœur Saint-Gabriel reconnaît les valeurs du petit dont tout le monde parle. Je préférerais ne pas la voir en compagnie de «mon» bébé. Quand elle le serre contre elle, je ressens le besoin de le laver pour qu'il ne garde rien d'elle, surtout pas son odeur.

Nous devons faire deux semaines de retraite annuelle au noviciat, ordinairement au mois de juillet, autour de la fête de sainte Anne. On connaît seulement à la dernière minute le nom de notre remplaçante. La suppléante est normalement une personne d'expérience, qui peut provenir du même hôpital, mais aussi quelquefois de Havre-Saint-Pierre ou de Sept-Îles, où nous gérons des maisons et des hôpitaux.

Essayez un instant d'imaginer la situation. Je

suis incapable de décrire mon angoisse durant cette première retraite suivant la naissance du bébé. Quinze longs jours, quatorze nuits interminables sans nouvelle de lui. Le dimanche du milieu de la retraite est un jour de sélection. A-t-il été adopté? Totalement recluse, je suis sans information et incapable d'en avoir. Personne n'entre ou ne sort du noviciat à moins d'une maladie grave. Je pleure plus que je prie. Chaque soir remet en cause ma vocation; je suis bien dans ma peau de religieuse, mais mon sentiment maternel prend graduellement plus de place. Je cesse de manger; déjà pas trop grasse, je perds tout près de six livres. Le prédicateur de la retraite s'inquiète de ma pâleur dans les derniers jours. Chaque nuit je me ronge les sangs pour essayer d'imaginer toutes les situations possibles et impossibles qui ont pu survenir pendant mon absence. Ont-ils donné mon enfant en adoption sans que je puisse l'embrasser une dernière fois? Le reverrai-je? S'il est parti, comment pourrai-je le retracer? Comment le revoir, le reprendre? Chaque nouvelle nuit blanche accentue ma hantise, l'obsession creuse mes chairs au point que ma maigreur est inquiétante.

Une seule personne pourrait me renseigner. La sœur économe supervise la retraite en même temps qu'elle continue partiellement son travail à l'hôpital. Mais nous sommes en silence pour la quinzaine... En plus, elle risque de tout découvrir, c'est bien la dernière religieuse à qui je puisse m'informer.

Après la dernière célébration des grâces et le chant du *Te Deum*, je saute dans la première voiture «en partance» pour l'hôpital. Je tremble de tous mes membres durant le voyage d'un mille et demi qui sépare mon lieu de travail et le noviciat. J'ai si hâte de savoir qu'à peine la voiture arrêtée, je descends, passe par la cuisine sans saluer sœur Sainte-Bernadette et grimpe à la course l'escalier central, sautant les marches deux par deux en relevant ma robe. Je bouscule sans m'excuser un monsieur et sa dame et j'entre en trombe dans le service... pour trouver mon bébé dans les bras de sœur Sainte-Sophie, une professe d'Havre-Saint-Pierre qui a assuré l'intérim. J'essaie du mieux que je peux de dissimuler mes sentiments, mais des larmes trahissent l'émotion contenue. Pour détourner les soupçons, j'embrasse d'abord tous les enfants avant de serrer le mien contre moi. J'explique mon arrivée empressée par mon ennui et la hâte de savoir qui on a adopté le dimanche précédent. Mais le soir, les lumières éteintes, je berce mon bébé en le serrant très fort contre moi, le couvrant sans retenue de baisers sans me préoccuper de sœur Saint-Gabriel. Elle fouine par la fenêtre dont j'ai tiré le rideau, mais l'espace au centre est suffisant pour épier. Je suis certaine que c'est elle; pour approcher son œil de la fente, il lui faut avancer très près, et sa cornette passe et repasse devant la petite lumière qui filtre par l'échancrure.

Ce soir-là, je remercie Dieu et saint Antoine d'une si grande faveur. Je prie en triple pour compenser les négligences de ma retraite. J'ai promis de réciter un chapelet supplémentaire chaque jour du mois d'août si le petit ne part pas, je tiens ma promesse.

J'apprends que pendant mon absence, deux filles ont été adoptées, les garçons n'ont pas eu la faveur populaire ce dimanche. Ce sont des choses qui arrivent. Les circonstances ont sauvé mon garçon et ma santé.

L'année suivante, le problème de la retraite ne se présente pas de la même manière; elle commence un jour d'adoption, ce qui me permet d'être présente aux heures de visite des parents éventuels. Je vis ma quinzaine de prières et d'études dans de bien meilleures conditions. Si le hasard ne m'avait favorisée, je crois que j'aurais tenté un départ précipité, sans grande chance de réussite, j'en suis consciente. Mais je ne revivrai jamais plus une épée suspendue au-dessus de ma tête. Je le constate, mon destin se précise, et pour la première fois ou presque, j'envisage sérieusement de me sauver.

Vous savez, je n'ai pas que des faits tristes à raconter, il y en a aussi de plus légers. Celui-ci par exemple. La religieuse préposée aux commissions prie constamment. Elle récite d'une voix forte un chapelet qu'elle égrène à longueur de jour en se promenant. Quand on la croise dans un corridor, on l'entend reprendre son souffle et dire très rapidement: «Je vous salue Marie, pleine de grâces...». Je lui fais la requête de réciter pour moi un chapelet par jour; de mon côté, je respecte ma promesse. Deux précautions valent mieux qu'une. Je me fais aussi une alliée supplémentaire, au cas où...

J'ai failli me retrouver un jour dans une situation difficile. Notre sœur supérieure m'a désignée pour remplacer une religieuse de l'hôpital de Havre-Saint-Pierre pendant sa retraite annuelle. Comme le bateau fait la navette toutes les deux semaines seulement, je me vois dans l'obligation de m'absenter tout près d'un mois. Il m'est impossible de refuser, je suis coincée. Je ne peux ni désobéir ni amener l'enfant avec moi et encore moins le cacher. Comble de malheur, je découvre l'identité de ma remplaçante: sœur Saint-Gabriel, à qui l'on confie la supervision des deux services. Je prie. Toute la nuit, les bras en croix. Et Dieu entend ma prière. Quelques jours plus tard, on apprend que le bateau a subi une avarie importante près de l'île aux Œufs; le service de passagers est interrompu quelques semaines, privant à la fois ma compagne d'Havre-Saint-Pierre de sa retraite et sœur Saint-Gabriel du plaisir de me remplacer. Je vois là une manifestation claire de la Providence.

Chapitre 8

Un dimanche du mois d'avril 1946, j'ai vraiment la frousse. On dirait que tout s'enclenche pour mettre fin à ma fragile relation avec Roland. La semaine précédente, malgré le règlement, une dame agréée comme parent adoptif est venue jeter un œil sur les enfants de la crèche. Elle trouve ce petit garçon de son goût et s'enquiert s'il fait partie du groupe d'adoption. Une religieuse de la salle des bébés, bien intentionnée je n'en doute pas, répond positivement. La dame revient, à mon insu, au moins deux fois dans la même semaine pour examiner l'enfant, jouer avec lui, comme pour s'assurer de son choix à la prochaine journée d'adoption. L'enfant lui plaît beaucoup, elle est convaincue qu'il sera son fils; c'est comme s'il était déjà le sien. Pour se coordonner avec son mari, rien de plus facile: elle peut tellement bien lui décrire l'enfant qu'elle désire! En plus, j'apprends que le père est venu lui aussi visiter les enfants pendant que j'étais en repos un après-midi. Je vis une semaine d'enfer. J'y pense aujourd'hui et la crainte m'étouffe encore.

Le dimanche, à la première messe de six heures trente, je me confie à Dieu, lui demandant de me guider et de nous protéger. Je suis si nerveuse que je ne parviens pas à déjeuner. À la grand-messe de neuf heures trente, malgré l'insistance de la sœur supérieure et de la sacristine, je refuse de chanter ou de réciter le psaume d'action de grâces. Je feins un mal de gorge. Sœur Marcienne, ma protectrice à qui n'échappe pas cette nervosité, vient s'enquérir de ma santé aussitôt la messe terminée. Comprenant qu'un drame se prépare, elle me pousse vers son officine pour éloigner les oreilles indiscrètes.

Je lui avoue mon attachement pour l'enfant, et ma crainte de voir le petit Roland que j'affectionne tant partir cette journée-là. Pour la première fois, j'exprime à quelqu'un toute la vérité de mon attachement, et pourquoi pas le dire enfin, de mon amour envers cet enfant. Elle tente bien de me convaincre de cesser cette relation, mais comprend bien vite que je n'y peux rien, et surtout que je n'ai pas l'intention d'y mettre fin. Elle ne m'approuve pas mais ne me blâme pas non plus. J'insiste sur l'angoisse de ce dimanche susceptible de bouleverser le cours de deux vies, j'implore son aide.

Sœur Marcienne m'écoute, et calmement me promet de faire tout en son possible pour éviter le pire, comme elle le dit.

— Fie-toi à moi, ma petite, déclare-t-elle, on trouvera bien un moyen.

Son sourire me rassure. Elle m'embrasse sur le front et, me serrant contre elle, ajoute:

– Le bon Dieu t'aime bien trop pour te faire de la peine. Continue à croire en sa bonté et à prier saint Antoine. Mais surtout, fais bien attention de poser un geste irréparable.

Elle téléphone en ma présence, au docteur Lévesque, le priant de venir la rencontrer à son bureau le plus tôt possible, ce qu'il fait dans les minutes suivantes. Sœur Marcienne me prend par les épaules et m'invite à sortir en me répétant d'avoir confiance dans le Seigneur et ses desseins insondables. Mais j'avoue que je n'ai à ce moment aucune idée du plan que Dieu et ses complices vont comploter.

Au réfectoire, après le dîner, sœur Marcienne me retient par le bras, me chuchote à l'oreille que normalement tout est réglé et que je ne dois pas m'inquiéter de l'absence de Roland. «Le docteur Lévesque, ajoute-t-elle avec un imperceptible sourire, a diagnostiqué au petit des symptômes similaires à ceux de la tuberculose et recommande de l'isoler pour au moins deux semaines. Il est donc placé du côté des enfants malades.» Elle élève le ton suffisamment haut pour être entendue par les religieuses encore présentes et en particulier par sœur Saint-Gabriel. Un clin d'œil discret dissipe mon angoisse. Sœur Marcienne est fiable et je lui fais entièrement confiance. Elle me sert tellement fort contre elle que j'en ai le sang coupé dans le bras droit. Mais je me sens rassurée, et avec un sourire je lui dis merci tout bas. Je suis «parée» à laisser le petit à sœur Saint-Gabriel pendant deux semaines si je peux ainsi éviter son départ.

L'heure des visites arrive. La dame en question se pointe, constate l'absence de son enfant de prédilection et s'en inquiète. Je l'informe, avec toute l'amertume nécessaire, du malheur qui le frappe. La peur de la tuberculose tenaille tant la dame qu'elle renonce définitivement à son projet d'adoption. Je lui vante alors sans retenue les qualités d'un poupon de quelques mois, une petite fille pétante de santé et jolie de surcroît. La dame inscrit son numéro. Je l'avoue, j'ai aussi aidé le père à faire son choix...

Ce dimanche me coûtera un chapelet supplémentaire par jour la semaine suivante et un chemin de croix à genoux.

Les dangers se succèdent de plus en plus rapidement. Il me faut entreprendre des démarches. Je cherche de l'aide un peu partout, aussi bien à l'intérieur de l'hôpital qu'à l'extérieur. Je pense surtout au village, car le fait de toujours vivre dans le même lieu avec les mêmes personnes fait peser sur toute conversation la menace de l'indiscrétion. Je risque un préjudice irréparable.

Je connais au village pas mal de monde, car je fais des courses pour les patients et les religieuses, avec la permission de mère supérieure. Je vais au bureau de poste pour expédier des lettres et des paquets ou retirer du courrier. J'inclus dans ma tournée la tabagie pour acheter tabac, journaux et livres pour nos malades et même les magasins de vêtements pour accommoder des patients dont le séjour à l'hôpital est plus long que prévu.

Chaque fois, je m'arrête chez le cordonnier Chesnel, où nous faisons réparer des souliers qu'on use à la corde. Dans l'atelier, près du poêle à bois, je retrouve toujours un groupe de vieux paroissiens qui jacassent de tout et de rien. J'ai l'ouïe fine, j'écoute leurs conversations et en peu de temps, j'en apprends assez sur les villageois pour me faire une opinion. Je monte une banque de renseignements précieux sur les habitants du village pour trouver une solution de rechange, au cas où la situation se corserait, car je veux éviter de revivre un événement aussi troublant que celui du dernier dimanche.

Mon plan est simple et efficace, je l'espère. Je dois trouver une personne fiable, d'une discrétion et d'une honnêteté absolues, qui accepterait d'adopter l'enfant avec promesse de me le rendre plus tard. Entre-temps, je reviens à l'état laïc avec la certitude de retrouver mon bébé.

Parmi les gens du village, le maître de poste m'inspire confiance... Jusqu'à ce que j'apprenne que c'est le cousin germain de ma supérieure.

Je songe au responsable du quai, un homme

doux, calme, sans femme ni enfants. Un être simple qui jouit d'une bonne réputation. Chose étrange, je suis incapable de le rejoindre; il est parti à Montréal, avec l'intention d'acheter un commerce. Son projet ne s'est pas concrétisé. Aujourd'hui, j'y vois là une autre manifestation de la Providence. L'homme n'aurait peut-être pas eu le courage ni l'audace nécessaires de mener à bien mon plan. Et aurait-il pu se trouver une compagne pour faire l'adoption?

De ma liste, je retiens finalement deux personnes qui me paraissent assez dynamiques et honnêtes pour respecter leur partie de contrat: vous, monsieur Vallée, et monsieur Gendron, le responsable de l'aqueduc municipal. Ils satisfont en plus aux normes de placement de Caritas Gaspé. Les deux n'ont pas d'enfants et ce sont des personnes respectables.

J'estime avoir en mains l'«échappatoire» voulue pour arrêter de me morfondre dans des situations problématiques. Pour m'aider à fixer mon choix, je procède à l'enquête comme pour toute demande d'adoption. Le curé Chénard vous estime beaucoup, monsieur Vallée et témoigne chaleureusement en votre faveur. Les rapports confirment mes hypothèses: vous devenez mon candidat numéro un.

Je connais bien cet homme qui vient quotidiennement livrer du pain à l'hôpital. J'aime le faire «étriver» à cause de son patois, «baptême», qu'il dit encore d'ailleurs, je l'ai entendu tout à l'heure. Je crois que ma compagnie ne lui déplaît pas; lorsque je suis dans la cuisine, il prend le temps de parler et de siroter un café dans la salle de collation des religieuses. La responsable de la cuisine, sœur Sainte-Bernadette, nous accompagne d'habitude. Les histoires pas nécessairement censurées, de monsieur Vallée la font rire à gorge déployée. Comme il est doué d'une bonne mémoire, il en a toujours une à raconter et sœur Sainte-Bernadette, bon public, en redemande. Certains patients de la salle des hommes rapportent même qu'aux collations de l'après-midi, elle répète en catimini les mêmes blagues pour les détendre.

Je prends aussi des informations sur d'autres couples, mais je doute de leur discrétion à cause de leur nombreuse parenté dans le village.

Richard est bien heureux de la tournure des événements. Il juge qu'il n'aurait pu être aussi bien avec une autre personne que celle qui s'est imposée à lui comme sa mère. Il a peu souffert de l'absence du père, sauf vers l'âge de onze ou douze ans; il aurait aimé jouer au hockey comme les autres garçons, mais n'a pas reçu le soutien désiré et a abandonné rapidement ce sport, malgré son talent de patineur.

Antoinette Laflamme profite du moment d'inattention de Richard pour faire une pause. Elle se lève, offre une autre tasse de thé et se rassoit, reprenant le récit où elle l'a laissé.

J'ai pris, entre-temps, des risques qui auraient pu mal finir. À onze mois, le petit attrape la varicelle. Je vais le chercher au service la nuit en passant par l'étage inférieur des cellules et des galeries latérales. Je l'enveloppe dans une couverture et monte le coucher dans mon lit pour mieux le veiller et le soigner. À la porte du service, je rencontre la gardienne de nuit, madame Olivette Pelletier; je lui explique que je conduis le bébé dans la salle des enfants malades à cause de la varicelle.

Je garde donc le bébé toute la nuit avec moi et le ramène avant le cri du *Benedicamus Domino* qui nous sert de réveille-matin. C'est insensé. Jamais je ne reprendrai un tel risque; je me suis exposée à un danger sans réfléchir à toutes les conséquences.

En septembre 1946, j'ai la prémonition que Roland sera choisi. Pour contourner le problème, je demande à la sœur de monsieur Vallée, madame Boudrias, de promener l'enfant dans le corridor pendant deux heures, donnant l'impression qu'il a été choisi. Une autre fois, à l'approche de ses deux ans, je le cache avec des jouets dans un grand placard utilisé pour le rangement des draps, serviettes et autres linges d'utilité. Je jette un œil de temps à autre, personne ne se doute de rien. Avant de faire ce genre de passe-passe, j'éloigne le personnel religieux ou laïque. Je profite surtout de l'absence de sœur Saint-Gabriel, partie faire un remplacement à l'hôpital de Maria. Je ne sais pas si Roland saisit l'importance de la situation, mais il me facilite la tâche en se montrant docile et discret.

Richard n'a pas de souvenir de cette période de son enfance. Ce qu'elle raconte lui paraît totalement étranger.

La situation devient intenable. Je ne peux indéfiniment cacher ce petit ange à tous, car d'autres religieuses développent des soupçons. Au début de novembre 1946, sœur Saint-Gilbert surprend une conversation entre mère supérieure et sœur Saint-Gabriel, et elle a entendu distinctement mon nom. Je m'attends au pire. Depuis quelques jours, la Saint-Gabriel se tient plus souvent que d'habitude entre nos deux services, faisant des remarques désobligeantes sur la façon de disposer les lits, les heures de sieste des enfants, et l'habillement de Roland en comparaison avec les autres enfants de la crèche.

Peu de temps après, mère supérieure m'aborde comme je l'appréhendais. Je me souviens fort bien de la conversation. C'est presque à l'anniversaire de naissance de Roland, vers la fin de novembre 1946. Il vient juste d'avoir deux ans. Nous organisons une petite fête; la cuisinière prépare un gâteau et les élèves du cours d'arts ménagers du pensionnat, des gâteries. Sœur Saint-Gabriel en profite pour faire une autre de ses remarques cruelles; elle prétend que ce ne sont pas tous les enfants de la crèche qui ont le privilège d'une si belle fête.

Quelques jours plus tard, donc, je viens de nourrir les enfants et de les préparer pour la sieste du midi lorsque notre révérende mère m'aborde sèchement, me conduit à son bureau près de la salle d'opération, claque la porte derrière moi et sans me faire asseoir m'apostrophe:

– Sœur Saint-Antoine, nous avons à parler très sérieusement. Nous entendons des rumeurs que nous désirons préciser. Nous convenons que vous êtes une bonne religieuse, une infirmière consciencieuse et une excellente travailleuse, mais on porte à notre connaissance certains faits intrigants.

– Qu'est-ce qui vous tracasse, Révérende mère? Ai-je fait quelque chose de mal?

– Pas nécessairement... mais oui, car on nous rapporte que si le petit Roland Cloutier n'est pas encore adopté, c'est que vous faites en sorte justement qu'il ne le soit pas. On prétend en outre que vous lui accordez beaucoup plus d'attention qu'aux autres enfants, négligeant en cela votre devoir de directrice de la crèche.

– Ma Mère, si je donne plus d'attention à cet enfant, c'est parce que j'ai promis à sa mère mourante que son fils serait adopté par les meilleures personnes possibles. Jusqu'à maintenant, si aucun couple de parents n'a choisi simultanément le numéro de Roland, je n'y suis pour rien, c'est le hasard ou la volonté de Dieu. Prétendre que je néglige mon devoir de directrice est une accusation grave qui doit provenir d'une religieuse que la charité me défend de nommer. J'adore mon travail et le fais sérieusement. Je le répète, j'ai juré à sa mère d'être plus sélective et je le serai. Fiez-vous à moi, ma Mère, cet enfant aura les meilleurs parents possible.

– Nous acceptons votre explication, mais soyez avertie que nous vous avons désormais à l'œil, avec l'intention bien arrêtée de vérifier certains faits. Laissons passer le temps des fêtes, il n'y a pas d'adoption. Après on verra. Souhaitons seulement que les choses redeviennent normales, car ce service a toujours été bien administré et nous tenons à conserver notre renom.

– Merci, Mère supérieure, je vous promets que vous n'aurez pas à vous plaindre. Ces méchancetés à mon égard cesseront, j'y verrai.

Dès ma sortie du bureau, je grimpe dans ma cellule pour pleurer un bon coup et demander à Dieu de m'aider à pardonner à la religieuse qui colporte de si méchants propos sur mon compte. Mais la Providence ne m'écoute pas. À mon retour, je trouve la sœur en question en train de jouer avec Roland et deux autres garçons dans le coin de jeux que j'ai aménagé au bout de la salle. Si je n'avais pas été une religieuse, je pense que je l'aurais expulsée sans aucun ménagement; elle aurait fait toute une sortie. La présence des enfants et ma condition me ramènent à plus de délicatesse dans mon reproche. N'empêche que le ton est convaincant puisqu'elle sort prestement en jetant un regard gêné derrière elle.

La situation se complique chaque semaine. D'une part, je suis surveillée par la supérieure et la Saint-Gabriel. D'autre part, c'est la période hivernale, propice aux adoptions d'enfants plus âgés. Le petit a maintenant deux ans, il est beau et en santé; je me demande bien comment je pourrai le sauver surtout si je suis épiée. Je change de comportement pendant les fêtes et confie Roland aux soins des autres religieuses. Le cœur me fait mal de les voir, et en particulier la Saint-Gabriel, le bercer et le cajoler, d'autant plus que cette dernière a l'air de me narguer. J'organise tout de même un beau Noël, avec des décorations et un vrai sapin. Tous les enfants, autant les légitimes que les autres, ont droit à une orange, à une pomme, à un sac de bonbons et à un petit cheval de bois vernis que monsieur Servant, notre menuisier, a découpé et monté en série dans sa boutique, au sous-sol du pensionnat.

Pour calmer les soupçons de la mère supérieure et de son acolyte bavasseur, je traite également tous les enfants sans en donner plus à Roland, même s'il a l'habitude d'en recevoir un peu plus que les autres.

Je considère la menace comme sérieuse, notre directrice est puissante. Je risque d'être mutée et de perdre ainsi l'avantage d'être proche du petit.

J'envisage sérieusement l'idée de quitter les sœurs pour l'adopter, mais l'évidence est là, jamais je ne pourrai satisfaire aux critères que nous appliquons: je ne suis pas mariée et je ne peux médicalement prouver ma stérilité. Je reviens à mon premier plan, l'adoption par un tiers en attendant ma sortie de la communauté. Mais trop de problèmes légaux peuvent se poser à court terme; je remets donc à plus tard la mise en branle de cette mécanique compliquée et hasardeuse.

Richard regarde monsieur Vallée qui hoche la tête comme pour approuver, mais sans rien dire, concentré sur les paroles de l'ex-religieuse, qui n'a pas l'air d'avoir besoin d'approbation pour continuer.

La décision s'impose d'elle-même: il me faut quitter les sœurs. Ce ne sera pas un départ ordinaire, un genre de fuite plutôt, presque une évasion de prisonnier. Le temps n'est pas mon allié. Je m'alloue un maximum de sept à huit semaines pour planifier et réaliser ma sortie. C'est peu, irréaliste et farfelu, mais je dois à tout prix trouver une solution à l'intérieur de ce délai.

Nous sommes presque à la fin de 1946, et selon mon évaluation de la tolérance de mère supérieure, je dois avoir quitté au cours de février 1947. Je suis convaincue de pouvoir compter sur l'aide de Dieu, de sœur Marcienne et du docteur Lévesque pour mener à bien toute l'affaire.

Je fais une dernière fois la revue des alliés possibles dans l'hôpital: dans le groupe des médecins, je ne peux faire confiance qu'au docteur Lévesque. Parmi le personnel infirmier, je pourrais peut-être contacter monsieur Théodore Boisvert. Sa discrétion est connue, il a déjà fait quelques commissions secrètes pour certains malades désirant un peu de cognac ou de gin. Même si je peux le compter parmi mes amis, je ne vois pas comment je peux l'utiliser: il a amplement de travail et avec sept enfants à la maison, il n'arrive pas à prendre le dessus. Sa femme est une marâtre notoire qui domine ce petit homme gentil et serviable. Les deux autres brancardiers, je ne les connais pas assez. Le menuisier et le responsable de la ferme sont sympathiques mais manquent de débrouillardise et sont trop rattachés à sœur économe. Le personnel féminin laïque, peu nombreux, est entièrement sous la gouverne des religieuses, ce qui m'oblige à l'exclure complètement.

L'aumônier présent au décès de la mère de Roland, l'abbé Tanguay, m'apportera de l'aide, je l'espère, par ses contacts et sa connaissance du monde extérieur. Je suis presque certaine de son appui. Le premier samedi de 1947, je lui raconte mon projet, mais au confessionnal pour éviter les ennuis. Le secret de la confession me garantit son silence au cas où, improbable, il ne souscrirait pas à mon plan. À mon grand désarroi, il se retourne, me fait face dans la grille et me regarde droit dans les yeux. Il désapprouve totalement ma décision et me conseille fortement de faire jouer le processus d'adoption le plus rapidement possible. Il durcit la voix pour me persuader que mes agissements mettent en péril ma vocation religieuse et que je désobéis à un Dieu qui ne cautionne pas les actes illégaux. Comme pénitence, il m'ordonne de faire un chemin de croix chaque jour de la semaine suivante.

Cette corvée reste encore à faire, ce n'est pas un péché que j'ai confessé. J'ai la conscience en paix. Je vais composer avec ceux qui veulent m'apporter de l'aide. J'écarte donc, à regret, un directeur spirituel décevant, dont l'attitude de pasteur change après la confession. Il assistait aux répétitions de chant et visitait souvent mon département, où il ne manquait jamais de venir parler aux enfants et de leur donner des bonbons. Ma conversation secrète marque la fin de ses tournées de courtoisie. Il ne vient plus que durant mon absence. Si j'y suis, il prétexte une urgence pour éviter de me croiser.

Monsieur Vallée l'interrompt pour rappeler à Richard que l'abbé Tanguay est maintenant curé de Saint-Joachim-de-Tourelle, le village voisin. Richard connaît le prêtre, il l'a soigné pour des inflammations aux pieds dues en grande partie à une consommation excessive d'alcool. Le traiter n'a pas été une sinécure. Le bonhomme est de taille impressionnante et de caractère assez difficile. Sa carrure se rapproche de celle d'un joueur de football et sa voix semble sortir du creux d'une caverne tant elle est forte et grave. Richard comprend aisément la jeune religieuse d'alors d'avoir été traumatisée par l'attitude plutôt raide de ce prêtre.

Je vais quitter les religieuses, quel regret! J'y suis heureuse, la vie communautaire me convient bien, j'aime mon travail et je me sens à l'aise à Sainte-Anne-des-Monts. Ce départ clandestin me pèse énormément. J'ai de la difficulté à imaginer mon intégration dans la vie civile, ma connaissance du monde séculier fait défaut. Je deviens irritable et pleure pour des riens. Je perds l'appétit et ne manifeste plus la joie de vivre qu'on me connaissait. Sachez-le bien toutefois, malgré cet attachement à ma congrégation, je désire par-dessus tout la liberté de vivre avec mon enfant.

Ma décision a atteint le point de non-retour. J'ai besoin d'élever cet enfant moi-même, comme je l'entends, respectant à ma manière l'engagement pris avec sa mère. Mon amour devient de plus en plus maternel et c'est en véritable mère que je réagis maintenant. Ce garçon est devenu irrévocablement mon enfant. Ce temps de préparation, d'attente et de silence me trouble et même si je compte de bonnes amies dans la congrégation, je ne peux confier mon secret; tout se sait ou presque dans la communauté. Pour mener à bien une opération aussi délicate, la discrétion absolue s'impose. Je suis malheureuse de travailler à l'insu de celles qui ont été et qui sont toujours si bonnes pour moi comme pour le petit. Elles ont payé mes études et m'ont généreusement accueillie. J'ai l'impression de tromper leur confiance. J'ai honte de les regarder en face, mais la peur de perdre Roland me convainc de la légitimité de mon geste malgré son irrégularité aux yeux de la loi.

Mère supérieure me croit dépressive et en glisse un mot au docteur Lévesque. Il m'ausculte, m'interroge et ne constate aucune anomalie. Devant ce diagnostic, mère supérieure m'interroge à son tour pour savoir si je suis toujours heureuse chez les sœurs. La réponse surgit spontanément du fond de mon cœur: oui. Ma réaction est si vraie, si sincère, si dénuée de toute affectation que mère supérieure me bénit en riant. Je ne suis pas rassurée pour autant. Je me dis que je dois changer mon attitude triste et morne, sinon je risque de rendre ma situation plus délicate.

Je feins une gaieté qui trompe tout le monde sauf ma tante. Elle voit tout, en douleur et en silence. Parfois elle formule une ou deux questions quand elle est sûre que nous sommes seules, loin des oreilles indiscrètes. Elle est convaincue que je vais quitter les religieuses, mais elle ignore comment, tout comme moi d'ailleurs. Si elle ne me le déconseille pas, elle ne me parlera jamais d'un moyen à utiliser, car il est évident que cette évasion lui déplaît. C'est une religieuse honnête et convaincue de ma vocation. Avec regret, elle assiste, impuissante, à la préparation de ma fuite. Elle m'offre de m'apporter son aide, ce qui ne signifie pas pour autant qu'elle m'approuve.

Je décide de partir même si c'est l'hiver. Évidemment, ce serait plus facile en été, mais nous n'avons pas le choix, nous n'avons plus le temps d'attendre. Nous risquons de tout perdre dans les semaines à venir, et de toute façon il faudra en venir à poser le geste. Plus vite nous partirons, mieux ce sera. Voyager l'hiver en Gaspésie n'est pas une sinécure. Nous sommes dans les années quarante, ne l'oubliez pas. Les chemins ne sont pas entretenus et les déplacements se font à cheval ou en autoneige, ou snowmobile comme on disait dans le temps, une voiture conçue par Bombardier, avec des skis de fer à la place des roues avant et des bandes de caoutchouc et d'acier qui tournent sur des pneus pour la traction. Partir à cheval est long, risqué, et la police a des chances d'être plus rapide que nous. La snowmobile est le seul moyen de locomotion qui m'apparaît réaliste dans les conditions gaspésiennes de l'époque.

Richard ne connaît rien des autoneiges, sinon ce qu'il en a vu à la télévision dans des reportages sur les chantiers ou dans les courts métrages de l'Office national du film. Monsieur Vallée, lui est tout sourire d'entendre parler des «snows» et de cette période.

J'ai vite fait l'inventaire des Bombardier disponibles dans le village: monsieur Vallée en possède une pour ses livraisons de pain, le service d'autobus entre Matane et Sainte-Anne, une autre, et la dernière appartient à un dénommé Lepage, qui exploite des chantiers à la hauteur du parc de la Gaspésie. On m'apprend qu'une nouvelle voiture serait arrivée dans l'Anse, mais j'ignore qui se paye ce luxe-là. Quatre en tout dans le village. C'est si peu que ça rend mon plan presque ridicule. Je commence à désespérer. Si je m'évade en autoneige, la police fera rapidement le tour des propriétaires. Aucun d'eux ne voudra partager un tel risque avec moi. Il me faudrait une chance extraordinaire, ou le secours de la Divine Providence.

La Providence, Elle, ne connaît pas les contraintes. Elle agit à sa guise et vite, et manifeste ses intentions en indiquant la direction à prendre.

Dans la semaine du premier janvier, madame Vallée est hospitalisée pour subir ce qu'on appelait autrefois la grande opération.

Pendant sa maladie je lui tiens compagnie, la divertis, me lie d'amitié avec elle. Ce contact me permet de mesurer l'ampleur de sa tristesse d'être sans enfants et son grand désir d'en adopter un une fois rétablie. J'entrevois alors une possibilité extraordinaire.

J'hésite. Est-ce que je peux courir le risque de dévoiler mes intentions à madame Vallée? Puis-je compter sur elle pour conseiller son mari? Est-ce qu'il voudra m'aider? Je décide de courir ma chance et de leur parler à tous les deux.

Quand monsieur Vallée vient rendre visite à son épouse, je leur fais à tous les deux une proposition. Je leur offre la possibilité d'adopter deux enfants, un garçon et une fille, sans avoir à passer par la filière régulière de l'adoption. En contrepartie, je réclame un service important, quand j'en ferai la demande.

Ils acceptent sans hésitation. Le marché est conclu par une poignée de mains, seule et unique garantie. Il me faut leur accorder une confiance aveugle en espérant que leur honnêteté soit à la hauteur de leur réputation.

Dès le lendemain, je mets en branle le processus d'adoption utilisé lors d'une forte recommandation politique. Je parle moi-même au député Fortier afin qu'il émette une demande spéciale pour monsieur et madame Jérôme Vallée, ce qu'il s'empresse de faire sans poser de questions. Je communique aussi avec le curé Chénard, le priant de téléphoner à Caritas Gaspé pour faire accepter d'avance la procédure. Mes contacts chez Caritas Gaspé, mon initiative et la confiance qu'on me témoigne me sont d'une grande utilité. L'autorisation de principe est émise sans difficulté.

Tout se déroule tellement bien que deux semaines après son congé, madame Vallée et son mari viennent «quérir» les enfants. La joie de ces nouveaux parents qui réalisent leur rêve aussi rapidement, fait bien plaisir à voir.

Le boulanger ne peut s'empêcher d'interrompre le récit. Il explique que pour sa femme, le fait de pouvoir adopter rapidement des enfants semblait si merveilleux qu'il n'a pas hésité à s'engager dans le plan de la religieuse. Il ne déteste pas les défis. Après tout, il a été un «chasseur illégal», pendant plusieurs années; il a braconné, au grand désespoir du garde-chasse incapable de lui mettre la main au collet. Probablement parce qu'il a toujours pris ses aplombs et manœuvré avec prudence.

Antoinette prend une gorgée de thé tiédi et attend que monsieur Vallée ait terminé pour continuer comme si l'intervention n'avait pas coupé son inspiration:

Pendant les trois semaines qui suivent le Nouvel An, je ne me contente pas de prières à Dieu et à saint Antoine. Je me procure des vêtements civils. Je m'en confesse, je les dérobe. J'ai besoin d'un manteau pas trop lourd. Nous, les sœurs, n'en portons pas, nous nous drapons dans une grande cape noire qui nous protège bien du froid, mais s'avère peu commode. Je requiers l'autorisation de passer une journée au noviciat et je profite d'un moment de solitude pour fouiller dans la garde-robe destinée à habiller les postulantes ou novices qui quittent la congrégation. Je décroche un manteau de drap noir doublé de satin et l'attache sous ma robe. Je reviens à l'hôpital dans le traîneau conduit par monsieur Dufour, le responsable de la ferme.

Aussitôt revenue à l'hôpital, je range le manteau dans l'armoire d'une patiente dans l'attente de le cacher dans mon placard. Je quête ensuite auprès des filles du pensionnat du linge de corps et une robe, sous prétexte de vêtir une jeune mère nécessiteuse «d'à peu près ma taille». Ces fripes, je les entasse aussi dans mon placard de cellule. Comme j'ai de petits pieds, il m'est difficile de trouver des bottes de ma pointure dans le magasin du noviciat. Je ne peux quand même pas partir avec les souliers toutes saisons que nous fournit la communauté. J'ai besoin de quelque chose de plus moderne, de moins voyant et de plus chaud. Madame Vallée me promet d'en dénicher une paire qu'elle placera dans la «snow», le soir du départ.

Chaque nouveau «vol» me remplit de remords. Je me considère comme une criminelle et une voleuse. Je connais la sanction si je me fais attraper: je suis immédiatement chassée de la congrégation puisque je n'ai pas encore prononcé mes vœux permanents prévus pour le mois de juillet suivant. Mes états de service et mes antécédents ne me serviraient pas à éviter la sentence. On n'appellerait pas la police, on camouflerait la chose, mais on me jeterait dehors, sans compensation, sans argent. Comme je n'ai plus de famille, il me faudrait compter sur la générosité des villageois avec qui j'entretiens des contacts. Si je me fais prendre à voler et qu'on m'expulse, c'est déjà tout réfléchi, je demeure dans le village et je me débrouille. Je trouverai bien un endroit où loger, et me dénicher du travail ne devrait pas être trop compliqué. Je pourrai ainsi rester proche du petit, continuer à le suivre et éventuellement nous réunir de nouveau, peu importe le moyen.

Afin de détourner les soupçons, je prends l'habitude de sortir avec Roland après le souper, en compagnie quelquefois d'autres enfants, sous prétexte d'aller voir patiner les filles du pensionnat ou pour glisser sur la grande glissade de la cour. J'en profite pour reconnaître les lieux et visualiser le parcours dans les moindres détails. Je ne veux rien laisser au hasard. Si je me fais pincer après le départ, je perds le petit à jamais et mon acte criminel me vaut la prison. Au lieu de l'amoindrir, mon statut de religieuse alourdit la faute de rapt d'enfant dont on ne manquera pas de m'accuser.

Pour éviter d'être surprise par un détail inattendu, je scrute attentivement l'allée entre le pensionnat et le presbytère. C'est le premier danger. Elle n'est pas large, sept ou huit pieds, mais longue d'au moins deux cents pieds et bordée d'une clôture de chaque côté. Seul le centre est durci, les côtés sont mous; le danger est de glisser et de tomber. Il faudra franchir ce sentier de nuit. Pour assurer mes pas, je me fixe des balises: devant, la lumière du collège des frères maristes, derrière celle de la patinoire du pensionnat. Je m'en servirai comme pour la navigation lorsque les bateaux entrent ou sortent du chenal: si les deux lumières sont vis-à-vis, je serai au centre du passage. Il faudra aussi être à l'heure au rendez-vous avec monsieur Vallée derrière l'église, une condition *sine qua non* pour la poursuite de mon plan.

Je prends d'autres précautions pour assurer mes arrières. Je tâte le terrain pour savoir comment et où me procurer de l'argent. Dans la bâtisse par ordre de facilité, il y a la pharmacie, la comptabilité, le bureau de sœur économe et les porte-monnaie des patients. J'élimine la pharmacie, jamais je ne toucherai à l'argent du service de ma tante. L'endroit le plus accommodant semble être la comptabilité; le jour, on ne douterait pas d'une religieuse. Même chose pour le bureau de sœur économe. Quant aux porte-monnaie, je vais jusqu'à fouiller ceux de certaines patientes, mais sans rien prendre; je ne peux m'avilir par un acte aussi bas. Heureusement, je n'ai pas besoin de poursuivre dans cette voie, car je pousse l'audace jusqu'à oser raconter les détails du plan au docteur Lévesque. Il reconnaît qu'il entretient un doute depuis que sœur Marcienne lui a demandé de faire un petit spécial pour isoler Roland. Mon plan lui semble audacieux, mais si le boulanger a accepté, c'est que la chose est possible. Il lui fait totalement confiance. Le médecin estime l'aventure réalisable dans la mesure où je disposerai de l'argent voulu pour survivre le temps de trouver un emploi. «J'en fais ma préoccupation», dit-il. En tant que parrain de l'enfant, il se doit de pourvoir aux besoins essentiels. Il me demande de l'informer du départ une journée à l'avance et il fera le nécessaire.

Richard est bouleversé par ce qu'il entend. Il n'aurait jamais pu imaginer chez cette femme autant de courage et de hardiesse. Il connaît son amour et sa grandeur d'âme, mais tant d'actes de bravoure dépassent la vraisemblance. Il sort son mouchoir pour cacher le rouge qui lui monte aux joues. Il songe aux paroles méchantes qu'il a lancées durant son adolescence. Comme bien d'autres jeunes, il a coupé le lien parental avec certains éclats verbaux qui ont sûrement blessé cette femme douce et compréhensive. Elle n'a jamais répliqué à ses remarques, feignant de les ignorer. «Ce qu'elle devait m'aimer», se dit-il, en écoutant la suite:

Il faudra obtenir des papiers légaux pour que Roland puisse aller à l'école, pour recevoir les sacrements et simplement pour vivre une vie normale. Une idée fixe hante mon esprit: faire disparaître l'étiquette d'illégitimité accolée au petit. Pour cela, sœur Marcienne s'avère une collaboratrice inestimable. J'ignore comment elle s'y prend, mais deux jours après ma requête, je reçois un extrait de baptême avec la signature de l'aumônier et le sceau de l'hôpital, le tout en bonne et due forme. Ce papier rejoint les vêtements dans le placard de ma cellule.

Le dimanche 19 janvier 1947, je me souviens précisément de la date, car l'abbé Tanguay prononce à la grand-messe un sermon très incisif qui m'est, je le crois encore, personnellement adressé. Dans l'Évangile de ce dimanche-là, saint Matthieu raconte la fuite en Égypte de la Sainte Famille à la suite du songe de Joseph; un ange l'avait averti de protéger l'Enfant en l'éloignant du territoire du roi Hérode. Lorgnant le jubé, directement dans la chorale où je me trouve, le prédicateur proclame que la vocation de saint Joseph dans cette histoire consiste à protéger sa famille et que répondre à la demande de l'ange revient à se soumettre à la volonté de Dieu. Pour les religieuses, il insiste pour le dire, la vocation se traduit par l'inverse: rester. Rester pour permettre à des malades de retourner guéris chez eux, rester pour que des professeurs bien formés puissent aller enseigner, rester pour que de pauvres petits orphelins puissent trouver un foyer convenable. «Votre responsabilité, ajoute-t-il, est de rester ici pour guérir et former des gens qui ont besoin de vos compétences. Votre devoir est d'être au service de la Volonté de Dieu, non pas de vous y substituer. Vous devez vous méfier, déclare-t-il, un trop grand attachement affectif dans votre travail, pourrait nuire à la finalité de l'appel du Seigneur.»

D'un ton péremptoire, les yeux toujours fixés sur la chorale, il répète que Dieu nous appelle au dépassement et qu'en prononçant nos vœux de chasteté, de pauvreté et d'obéissance, nous avons accepté de répondre à son attente. «Vous ne devez pas, dit-il, détourner Sa volonté à votre profit ou à votre gloire personnelle, vous ne devez pas céder à la faiblesse de vos sentiments, mais plutôt contribuer à répandre Son amour à travers ceux qu'Il vous confie. Ainsi soit-il.»

Au sortir de la chapelle, j'entends les religieuses vanter unanimement le sermon de l'abbé Tanguay, son meilleur depuis bien longtemps. «Il a su, dit sœur Saint-Nom-de-Marie, faire résonner les cordes sensibles de ma vocation. J'en ai eu un petit velours.» Et ses voisines d'approuver ses dires en renchérissant.

C'est une homélie sur mesure, le prêtre est au courant de mes intentions. Ses paroles me mettent à l'envers. Je passe le reste de la journée à les retourner dans tous les sens. Si l'abbé a raison, je commets un péché et un de taille. Si par contre la Volonté Divine est de faire le bonheur d'un enfant, c'est moi qui ai raison. L'aumônier prétend dans son sermon que Dieu parle par la Bible et par l'interprétation qu'en font les théologiens avertis. S'il dit vrai, ma vie sera un enfer et ma conscience va me poursuivre, comme l'œil de Caïn, jusque dans ma tombe. Ah! si Dieu pouvait parler aussi par les événements! Si Sa volonté pouvait aussi se manifester clairement dans les attitudes des personnes qui nous entourent! Comment croire que la Providence Divine n'a rien à faire avec l'heureux concours de circonstances qui me favorise? Je suis troublée, incertaine, j'ai besoin d'aide. C'est l'occasion de consulter sœur Saint-Cléophas. Après tout c'est une théologienne aussi érudite que l'abbé Tanguay.

Après le souper, j'accours anxieuse au pensionnat. Je veux savoir s'il est vrai que la parole de Dieu n'est présente que dans l'Évangile et son interprétation stricte ou s'il est possible de trouver d'autres manifestations de La volonté divine.

— Voyons, Sœur Saint-Antoine, est-ce que votre appel à la vie religieuse était inscrit en toutes lettres dans la Bible? me demande-t-elle.

— Certainement pas, il n'y a rien de tel d'inscrit dans les Évangiles.

— Alors comment avez-vous découvert que vous aviez la vocation? Comment avez-vous su que vous répondiez à la Volonté de Dieu?

— Par toutes les circonstances qui sont survenues dans ma vie, mon désir d'aider les autres et ma foi en Jésus. Et je suis heureuse d'être une religieuse, heureuse d'être sœur Saint-Antoine. Je n'ai jamais reçu d'invitation écrite à vivre en communauté.

— Voilà la vraie réponse. La parole de Dieu, il est vrai qu'on la trouve principalement dans la Bible et dans les Évangiles. La volonté de Dieu, c'est différent. Elle se manifeste dans la vie de tous les jours. Dieu n'a pas cessé de parler parce que les évangélistes sont morts. Rassurez-vous, Sœur Saint-Antoine, je pense que vous avez fait ce que Dieu voulait de vous.

Je l'embrasserais tellement je suis contente! Elle met fin à mon questionnement, elle qui pense me rassurer sur ma vocation. Jamais plus je ne douterai, qu'à travers la vraie vie je réponds à la volonté Divine. Ma décision se renforce et l'abbé Tanguay n'a plus d'emprise sur moi.

Chaque jour, à compter du 22 janvier, j'écoute à la radio la météo du lendemain et c'est le 20 février en soirée que la décision est prise: le 21 février 1947 sera la journée du départ. On prévoit du temps couvert avec du vent et de la poudrerie par endroits, justement ce dont nous avons besoin. Je téléphone à monsieur Vallée, l'informe de ma décision par le code convenu, et lui demande d'avertir le docteur Lévesque.

Inutile de le préciser, je passe la majeure partie de la nuit à m'interroger sur l'opportunité de mon geste, sur mon choix de voyager en hiver, sur les préparatifs déjà faits et sur les dispositions qu'il faudra prendre. Un point me tracasse particulièrement: est-ce que monsieur Vallée respectera sa parole? Laissera-t-il tomber maintenant qu'il a les enfants? La météo prévue sera-t-elle exacte? Autant de questions qui favorisent l'insomnie.

Le matin du 21 février, à six heures moins quart, comme chaque jour de la semaine, je me rends à la messe en compagnie des autres religieuses. Je cache des vêtements civils sous ma robe au niveau des hanches et des cuisses. Dès le début de l'office religieux, je quitte la chapelle comme pour aller aux toilettes. Je plie mes vêtements d'évasion et les mets dans un sac bien en vue sur mon bureau pour n'inquiéter personne. En plus du manteau, j'y ai fourré un gilet tricoté, une blouse, des bas et une jupe de laine du pays. En cas d'interrogation, j'ai prévu la réponse: c'est du linge pour une pauvre fille du village qui doit venir quérir le paquet au cours de la journée. De retour à mon banc, j'assiste à la fin de la messe et communie comme à l'habitude.

Le servant de messe, le petit Boudrias, comme il le fait quotidiennement ou presque, une fois l'hostie déposée sur ma langue, me touche le menton avec le métal froid de la patère en me souriant. Ce matin-là, il frappe plus fort que de coutume et je manque de m'étouffer. Je réponds quand même à son geste par un petit signe de la main et un sourire au moment de quitter la balustrade, mais en prime il a droit à une paire de gros yeux de l'aumônier qui n'est pas dupe de notre complicité. Au réfectoire, je retrouve mon petit ami à qui on sert le déjeuner, une partie de sa paye pour s'être levé si tôt. Il est en larmes. Je le console en lui disant que ce n'est pas grave et que l'abbé Tanguay oubliera vite l'incident. Je l'embrasse et lui fais comprendre que des choses plus sérieuses qu'une petite semonce d'un prêtre vont sûrement l'affecter plus tard. Nous déjeunons ensemble alors que d'ordinaire je mange avec les religieuses. Monsieur Vallée, qui vient livrer le pain à son heure matinale, nous rejoint, sœur Sainte-Bernadette, son neveu et moi pour prendre le café. Le boulanger ne fait aucune allusion à notre plan, ni au temps, ni à la route, ni au choix du jour. J'apprécie la discrétion de cet homme.

Durant la journée, j'en profite pour gonfler

graduellement le sac, d'une serviette, d'une débarbouillette, d'un savon, d'un peigne, d'un pyjama et de camisoles.

À l'heure du midi, je m'autorise une petite sieste sans réussir à dormir. Vers une heure, je croise le docteur Lévesque dans le corridor du deuxième, il glisse dans ma grande manche droite une enveloppe. Sans prendre connaissance du contenu, je le remercie. Nerveuse et toute tremblante je lui serre la main en lui témoignant ma gratitude. Il me fait taire. Il n'exige de moi qu'une seule et unique chose: en cas d'échec, son nom ne doit être mentionné d'aucune façon. Il ajoute gentiment que si le besoin s'en fait un jour sentir, je ne dois pas me gêner. Son offre est sérieuse, il le prouvera. Au cours de notre conversation, il enlève et met plusieurs fois son lorgnon, un signe de sa grande nervosité. Dans l'enveloppe, je compterai plus tard trois cents dollars en billets de vingt, une fortune pour l'époque.

Richard comprend maintenant l'attitude du bon vieux docteur lors de son arrivée à Sainte-Anne et l'insistance de son regard, comme s'il cherchait une ressemblance. Il s'explique maintenant la raison du prêt qui a servi à son installation. Il n'en a que plus d'estime pour le personnage. Cette protection presque paternelle de la dernière année remonte à bien plus longtemps qu'il ne s'imaginait. En blaguant, il se dit qu'il vient de perdre une illusion: «Et moi qui croyais que le docteur me considérait à cause de ma compétence.»

Je n'informe pas, continue Antoinette, sœur Marcienne de mon départ pour lui éviter l'inquiétude. Elle me rend visite l'avant-midi, nous causons de choses et d'autres, de la nomination du nouveau vicaire de la paroisse, de la maladie de sœur Saint-Joseph et du sermon de l'abbé Tanguay dont la visée n'a pas échappé à ma tante. Je la rassure en lui affirmant que je ne suis pas ébranlée et que j'ai l'intention de continuer à travailler comme si je n'avais rien entendu. Elle se réjouit et avant de partir me fait don d'une boîte de chocolats pour mes petits orphelins, comme elle les appelle. C'est un cadeau donné par un patient à son départ de l'hôpital. La nouvelle fait vite le tour des enfants, qui viennent réclamer leur part de gâterie. Sœur Saint-Gabriel, comme dans la fable «par l'odeur alléchée», oserais-je dire, vient se plaindre que sœur Marcienne donne son chocolat aux illégitimes en santé et non aux enfants malades de la salle d'à côté. Je la prends par les épaules et lui indique la porte sans dire un mot, sinon j'aurais été désagréable. Elle saisit le message et s'en retourne aussi prestement qu'elle est venue.

Vers la fin de l'après-midi, je me rends à la chapelle: «Mon Dieu je vous implore de me donner la force pour affronter les difficultés futures! Si telle est Votre volonté, faites qu'Elle se concrétise par un dénouement heureux! Saint Antoine mon Patron accordez-moi votre secours!» Je prie pour tous les enfants de la crèche, pour la santé de notre vieille sœur Saint-Joseph. Ma bonne amie, sœur

Sainte-Clothide, vient s'agenouiller près de moi et nous récitons ensemble un chapelet pour les âmes du purgatoire. D'autres religieuses à la retraite viennent répondre à nos dernières dizaines.

Au souper de cinq heures, je nourris les enfants avec plus de sollicitude qu'à l'ordinaire. Je les appelle chacun par son prénom et les embrasse un à un avant de me rendre au réfectoire. J'avise sœur Saint-Étienne que je serai absente après le souper et qu'elle aura à superviser le coucher des enfants.

Au repas, le cœur me bat. J'ai le trac au point de craindre que mes compagnes ne perçoivent ma nervosité. Je vais aux toilettes à toutes les dix minutes. Je cours un risque énorme et j'en suis consciente: si j'échoue, je perds l'enfant et c'est la prison. Ces idées me hantent et me causent des crampes d'estomac. Le hachis canadien a beau être bon, j'ai de la difficulté à manger mon mets favori. Je ne bois ni lait ni thé pour éviter d'avoir envie dans la soirée. J'ai déjà assez de problèmes avec ma rétention.

Je profite de la noirceur hâtive et du repos d'après le souper pour porter le sac de vêtements sous l'escalier conduisant à l'appartement de l'aumônier. En détachant une planche sur le côté, on accède à une sorte de cachette. Cette planque ne peut être sûre à long terme; des pensionnaires doivent l'utiliser pour dissimuler des cigarettes ou des livres défendus au couvent. Je fais semblant de ramasser quelque chose par terre pour me rendre dans ce coin moins éclairé, juste à côté des poubelles. Les pensionnaires sont en train de souper et les religieuses les moins frileuses se promènent sur la galerie, à l'autre bout de l'hôpital. Personne ne semble me voir.

Une fois le sac caché, je me hâte de regagner ma cellule pour me calmer et terminer les derniers préparatifs avant les vêpres. Les cloches de l'église sonnent l'angélus de six heures. Il ne me reste qu'une demi-heure.

Parmi ces choses à faire, la première me crève le cœur. J'ai des larmes plein les yeux quand ma main gauche ramène devant moi la longue tresse brune de mes cheveux. Leur longueur est un indice permettant facilement de me reconnaître. Il me faut les couper. Une bonne paire de ciseaux «empruntée» à la buanderie fera l'affaire. Ne pouvant laisser cette relique derrière moi, je la plie dans la grande poche de ma robe. Pour la dissimuler je ramène sur elle le gros chapelet qui pend sur mon tablier. J'égalise ensuite ma coiffure aux épaules et arrange mes cheveux avec des pinces pour me donner une allure présentable quand j'enlèverai ma cornette, si mon départ est précipité, je n'en demeure pas moins coquette.

J'enfile une camisole et un soutien-gorge de satin; la sensation étrangement douce sur ma peau tranche avec celle du coton rugueux. Je remets ma robe de religieuse par-dessus une robe laïque et je descends rejoindre mes compagnes à l'entrée de la chapelle. Il est six heures trente pile.

Je croise le regard froid de l'aumônier quand il passe près de moi pour ouvrir les portes de la chapelle et faire entrer les religieuses, disposées en deux rangées le long des murs du corridor. Il me glace avec ses grands yeux inquisiteurs qui ont l'air de me dire: je sais que c'est le grand moment. Avec ses six pieds et deux pouces, l'armoire à glace du pensionnat m'impressionne tellement que je frissonne. Je souhaite que ce ne soit pas un mauvais présage. Ce soir-là, il faut l'avouer, j'ai peur que le prêtre trahisse le secret de la confession; il ne l'a pas fait, c'est tout à son honneur.

Après le vespéral, à sept heures et quart, j'avise mes compagnes que je sors prendre l'air avec Roland et que nous irons peut-être faire un tour à la soirée musicale du pensionnat. J'ajoute que si la séance finit trop tard, nous coucherons là-bas. Cette astuce me permettra peut-être de retarder la découverte de notre fuite.

J'habille chaudement l'enfant avec de la laine et lui couvre la tête d'un casque de cuir doublé de feutre. Aux pieds, je lui enfile deux paires de bas de laine dans des bottes de caoutchouc qu'on appelle des «gobbers» en Gaspésie. Ce n'est pas à la mode, mais les enfants de la crèche ne sont pas les mieux habillés.

En passant par les cuisines, je rencontre sœur Saint-Gabriel qui me dit d'un ton narquois, son nez pointu en l'air:

– On sait bien, elle sort encore avec son petit Roland. C'est pas compliqué, il n'y a que lui dans la crèche. Je sais pas ce qu'elle va faire quand il va partir.

Je ne réplique pas, bien qu'il me démange de lui envoyer en pleine face que justement, il part et pour longtemps. Je vois aussi sœur Sainte-Bernadette qui ferme sa cuisine et la félicite pour le hachis canadien du souper. Dans la pièce voisine, la responsable de la buanderie range des draps dans une armoire sans remarquer ma sortie. J'aimerais être un petit oiseau et revenir faire un tour à l'hôpital après notre départ, seulement pour voir les réactions.

Dehors, il fait froid, je revêts ma cape noire pour me diriger vers l'escalier de l'aumônier avec l'intention de récupérer le contenant de vêtements civils. Ça débute mal. Je ne peux accéder à la cachette, deux ou trois filles fument en cachette derrière le bloc de ciment de l'escalier de sauvetage du pensionnat. J'aperçois la petite lueur qui augmente et diminue à chaque bouffée. Feignant de ne pas les voir, je marche le long de la patinoire où une dizaine de patineuses se tenant par la main font «tourner la queue»: quand la fille de tête s'arrête, les suivantes accélèrent et les dernières vont choir sur les bords enneigés. Tout le monde rit. J'ai hâte que les fumeuses aient terminé, je trouve le temps long et le froid est intense.

Les fumeuses sont enfin retournées dans la cour. Je prends Roland dans mes bras, récupère le sac caché pour nous diriger rapidement vers l'allée entre le pensionnat et le presbytère. Une autre tuile nous attend: mère supérieure et sœur économe se promènent sur leur galerie privée. Elles ont une vue imprenable sur le passage que je dois emprunter. L'obscurité n'est pas assez grande, à cause de la lumière de la patinoire du pensionnat. Deux minutes passent, qui me paraissent une heure. Je tremble de tout mon corps sans que la température y soit pour quelque chose. Ce n'est pas le moment, me dis-je, il faut agir. Le plan des lieux est clairement détaillé dans ma mémoire, je décide d'entreprendre la traversée. Je demande à Roland d'être sage, de ne pas faire de bruit et de ne pas parler. J'attends l'instant précis où les deux religieuses me tournent le dos en faisant demi-tour et j'emprunte le sentier, mon enfant et le sac dans les bras. J'aligne les deux balises et fais quelques pas pour m'immobiliser dès que je vois les silhouettes noires revenir de l'autre extrémité de la galerie. Je refais le même manège dès qu'elles s'éloignent et nous voilà assez loin pour ne plus être visibles. Le passage est traversé sans encombre.

Débouchant dans la cour entre l'église et le garage du curé, je dépose le petit, prends une bonne respiration et à la lueur de la lumière du porche du presbytère, nous nous dirigeons vers l'arrière de la sacristie. Le chien jappe, ce qui pousse la ménagère à allumer l'ampoule extérieure éclairant la cour du presbytère. Je m'arrête et je la vois examiner le dehors. Étant habillés de noir et immobiles, elle ne nous distingue pas. Satisfaite de son inspection, elle éteint la lumière. Il fait encore plus noir, je ne vois pas la snowmobile, mais je sais approximativement où elle doit se trouver, toutes lumières éteintes. Si les indications de monsieur Vallée sont bonnes, en me dirigeant directement vers le milieu arrière de la sacristie le long des murs, je devrais entendre le moteur tourner au ralenti. Je n'entends pas le moteur. J'entends surtout la musique amplifiée de la patinoire du village dominant tout. Je doute presque de pouvoir trouver l'autoneige. Si seulement elle est là.

Avançant un peu plus vers l'arrière de la sacristie, je distingue un léger bruit de véhicule en marche. Monsieur Vallée n'a pas manqué à sa promesse. Il est au rendez-vous. J'ai le goût de crier tant je suis contente. Ce bruit de moteur est une musique à mes oreilles. J'ai envie de pleurer. Je suis tellement excitée que je serre fortement l'enfant dans mes bras. Sans le vouloir, je lui fais mal puisqu'il me demande de cesser. Je l'embrasse et lui dis que je l'aime. Il me répond qu'il m'aime aussi. C'est enfin le début de ma vie de maman.

Chapitre 9

Nous n'avons eu qu'à nous diriger vers le bruit et à nous engouffrer dans le véhicule où nous attendent des couvertures chaudes, la paire de bottes promise par madame Vallée et un sac en toile contenant des vêtements d'enfant. Je laisse la parole à monsieur Vallée, puisqu'il a vécu la suite du récit autant que moi.

Monsieur Vallée est content de continuer le récit, tout heureux du rôle qu'il a joué. Il redresse les épaules, toussote comme pour se donner une contenance et d'une voix un peu moins nerveuse qu'à l'accoutumée, sans doute influencé par le climat créé par Antoinette, il attaque sa partie de l'histoire:

Avant tout, je veux vous remercier, Madame, d'avoir facilité l'adoption de mon garçon et de ma fille. Ce sont des adultes maintenant: le garçon a 27 ans et travaille comme mécanicien pour Hydro-Québec à Manic 2. Quant à ma fille, elle est rédactrice en chef de *L'Hebdomadaire* du Bas-Saint-Laurent. J'ai été gâté par la vie grâce à votre générosité. Ma femme et moi avons une dette de gratitude envers vous, sœur Saint-Antoine, pardon, Madame. Si nous avons constitué une famille normale et heureuse, c'est à vous que nous le devons.

C'est une période trépidante de ma vie que vous venez de rappeler. Ces souvenirs me tracassaient depuis longtemps quand j'ai reçu votre coup de téléphone il y a quelques mois. Je me demandais vraiment ce que vous étiez devenus tous les deux. La destinée est imprévisible, j'ai souri en apprenant que l'enfant est médecin et qu'il pratiquerait chez nous. C'était une raison supplémentaire d'être fier de ma participation. J'ai été heureux de pouvoir vous être utile à mon tour. L'aventure que j'ai vécue, je m'en souviens comme si c'était hier.

Je me revois encore livrer le pain le matin. C'est vrai, votre compagnie me plaisait et j'aimais prendre un café aux cuisines avec sœur Sainte-Bernadette. Vous étiez toujours gentille et joyeuse. Même habillée en religieuse, je vous trouvais jolie et votre conversation était agréable. Vous aimiez rire, taquiner, vous sembliez heureuse de vivre. On se sentait bien en votre compagnie. Vous étiez ce qu'on appelle une sœur «d'adon».

Antoinette rougit à ce flot de compliments. Elle sait qu'elle était jolie, mais une telle confirmation venant d'un homme qu'elle apprécie beaucoup lui fait monter le rouge aux joues.

Le boulanger, un peu gêné, se tourne vers Richard et lui fait cette requête en prenant presque un ton de prière:

— Docteur, avant de commencer je voudrais vous demander l'autorisation de vous tutoyer. J'ai commencé tout à l'heure, bien involontairement, et je voudrais me le permettre encore, car je pense qu'on se connaît assez maintenant, baptême, et j'aimerais mieux ça. Je me sentirais plus à l'aise, surtout après ce que j'ai dit tantôt.

Richard ne peut s'empêcher de rire et opine de la tête en disant: «Oui, vous pouvez, avec plaisir.» Il acquiesce d'autant plus facilement qu'il déteste être vouvoyé par une personne plus âgée, considérant plutôt que c'est à lui de le faire. Il voue de l'admiration à cet homme sincère, tout d'un bloc et sans prétention. Le tutoiement lui semble un moyen de se rapprocher, de briser une barrière, de libérer cette spontanéité que Richard apprécie chez les gens.

Si ta mère, continue monsieur Vallée en s'empressant de recourir au tutoiement, exprime sa crainte de la justice et de la prison, dites-vous bien tous les deux que j'ai la même frousse. Je deviens de plein gré le complice d'un acte criminel punissable par la loi de plusieurs années de prison. C'est clair dès le début, mais ma femme et moi acceptons de courir le risque. Madame a dit avoir craint de ma part le non-respect de ma partie de contrat, c'est mal me connaître. Ma parole a toujours été aussi valable qu'un acte notarié. Non, ne protestez pas, c'est normal dans votre condition et je ne vous en tiens pas rigueur. J'étais content de vous aider.

Ramenons-nous au début de janvier 1947, le soir où sœur Saint-Antoine m'explique son plan. Je le trouve risqué en baptême, les propriétaires de snows sont peu nombreux dans le village et le danger de me faire prendre est réel, mais après réflexion, je calcule que c'est faisable. Il n'y a pas beaucoup de policiers, les communications ne sont pas ce qu'elles sont aujourd'hui; tout peut marcher si on travaille correctement. Si elle prépare sans faute sa fuite de l'hôpital, qu'elle réussit à se rendre à mon véhicule, c'est alors à moi d'assurer sa sécurité, du moins le temps qu'elle sera à bord. J'accepte de relever le défi.

Pour être en mesure de l'aider réellement, je prends moi-même certaines précautions que j'estime indispensables. Il faut penser à tout. Je fais examiner ma machine d'un bout à l'autre. Le moteur tourne rondement, les engrenages des bandes d'entraînement sont serrés au quart de tour. Tout fonctionne normalement. Je veux ensuite éviter le piège d'acheter de l'essence en chemin. Aussi, dans les semaines précédant le départ, je remplis de carburant deux réservoirs de dix gallons, de vieux barils de mélasse de la boulangerie, que je prétends vouloir monter au chantier. Je les range au fond du hangar à farine. Le soir du départ, je les attache à l'arrière du véhicule et les recouvre d'une couverture en toile de l'armée pour éviter les émanations.

Ma femme de son côté se charge de trouver une

paire de bottes d'une pointure plus petite que la sienne pour sœur Saint-Antoine. Elle met en paquet des vêtements utiles pour l'enfant et des couvertures de laine grise utilisées dans les chantiers, que je dispose sur les sièges du fond en cas de froid intense ou d'avarie. Je place dans le coffre une bonne lampe de poche, des allumettes, des mitaines et un foulard de laine tricotés par mon épouse. J'ajoute dans la soute une pelle, quatre pintes d'huile, une barre à clous en cas de «délayer». Mon inventaire est complet. Il ne manque que mon thermos de café et le petit remontant qui accompagnent mes voyages en hiver.

Avant de partir, j'embrasse ma femme et les enfants. Elle me demande d'être prudent et m'assure de ses prières. Je laisse la maison vers sept heures dix. Je monte par le chemin de l'épicerie pour éviter de traverser le village par la voie principale. En haut de la rue, je tourne à gauche en direction de la route du Parc. Le froid piquant doit faire peur au monde puisque je ne rencontre pas un chat, sauf une bande de jeunes qui jouent au hockey sur l'écluse gelée à côté de la «shop» à bois, à la lueur d'un fanal à l'huile. Ils accordent peu d'intérêt au passage de mon véhicule. Près de la cour du collège, à cause des lumières de la patinoire, j'éteins les phares et roule lentement; la musique de valse des haut-parleurs couvre amplement le bruit de ma machine. Il semble y avoir peu de patineurs; la plupart sont à l'abri dans la cabane surchauffée aux vitres givrées. Il doit être impossible de distinguer quelque chose à l'extérieur. De plus, l'amoncellement de neige sur les bandes et la palissade de bois autour de la surface glacée, gênent le patineur attentif qui pourrait difficilement voir passer la snow.

J'enfile à droite à l'arrière de l'église, dans la ruelle menant au presbytère. Dans la cour, je fais demi-tour en face du garage, «paré» à repartir par le même chemin. Je me range à côté de la sacristie. La ménagère allume la lumière du presbytère pour jeter un œil dehors; elle a probablement entendu du bruit, mais elle éteint aussitôt. Tous feux éteints comme ça, y a pas un baptême qui peut voir ma snow bleu foncé. Il fait noir comme chez le diable et les murs gris et sombres de l'église servent d'écran. Je suis difficilement repérable à moins de tomber sur moi par hasard. J'allume une cigarette, car à cette période je fume, et j'attends.

Je vois le bedeau qui, son travail terminé, sort de la sacristie et barre la porte latérale de l'église. Je l'avais oublié celui-là; je coupe aussitôt le contact. Je le regarde se diriger normalement par la côte du collège des frères maristes éclairée un peu par les lumières de la patinoire. Il ne se retourne pas: musicien dans l'âme, je suis certain qu'il emplit ses oreilles des airs amplifiés en provenance de la patinoire. Je vois sa main droite battre la mesure, une manie quand il chante ou écoute de la musique. Il disparaît lentement sur l'autre versant de la côte. Je remets le moteur en marche et j'attends.

Je me suis fixé une heure limite: si mes passagers n'ont pas donné signe de vie à huit heures et quart, je m'en retourne chez moi. J'oublie toute l'histoire. Je vois venir deux jeunes, un garçon et une fille, sur le chemin principal à environ cent pieds; ils n'ont pas l'air d'entendre tourner le moteur. Je ne bouge pas et ils passent droit leur chemin en direction du couvent des sœurs du Saint-Rosaire, comme si de rien n'était.

L'attente n'est pas longue, dix ou quinze minutes plus tard, sœur Saint-Antoine arrive avec l'enfant et monte dans la voiture. Je lui conseille de s'asseoir à l'arrière. Elle ne dit pas un mot, se dirige rapidement vers le fond, se cache sous les couvertures, la tête seulement au-dehors. C'est une précaution inutile, les hublots sont glacés à cause du froid.

Je jette un coup d'œil circulaire d'abord vers l'hôpital à gauche, le presbytère derrière et finalement la patinoire devant. Tout est calme, rien ne bouge. J'embraye et nous partons sans délai. Je ne veux pas perdre de temps, car il faut compter au moins quatre ou cinq heures pour faire la soixantaine de milles qui nous séparent de Matane. Ma Bombardier B-12 peut filer, selon l'odomètre, à soixante milles à l'heure, mais c'est pas sur les routes de la Gaspésie que l'aiguille va frapper le bout du compteur. Selon mes calculs, si tout va bien, j'espère rouler en moyenne autour de quinze ou seize milles à l'heure, en tenant compte du froid et de la noirceur.

Pour échapper aux soupçons, je n'ai pas le choix, je dois être de retour pour prendre ma livraison de pain comme d'habitude vers six heures du matin. Tout doit aller rondement. Ma voiture est en condition et j'ai confiance de réussir le voyage en dépit du froid et de la tempête. Je ne suis pas fâché que le vent soit «nordais» et qu'il y ait un peu de poudrerie pour effacer nos traces et nous rendre moins visibles. En fait, le froid et le vent nous sont utiles autant qu'ils nous ralentissent.

On bénéficie d'un autre avantage. La prison de Sainte-Anne est «drette» en face de ma boulangerie et le gardien, un de mes amis, traverse tous les soirs pour placoter après ma tournée. Il court aux nouvelles, qu'il me dit, mais cette fois-ci, c'est lui qui m'a informé. La snow des policiers est stationnée à Matane, car demain, un pensionnaire de la prison de chez nous est inculpé pour hold-up à la caisse populaire des Méchins. Les policiers ne pourront pas partir après nous autres, mais ils peuvent nous attendre à Matane s'ils sont prévenus à temps. Le temps, c'est le mot clef de toute «l'opération départ», comme je l'ai baptisée.

Au coin de la rue Principale et de la route du Parc, j'allume les phares et nous traversons le village. Dans mon miroir, j'aperçois la religieuse qui garde toujours la tête hors des couvertures et essaie de voir par les hublots givrés. Je remarque sa capuche blanche aller d'un bord à l'autre. Je me dis qu'elle cherche à mémoriser tout ce qu'elle entrevoit, parce que si tout se déroule bien, elle sera longtemps sans revenir. Avec ses ongles, elle gratte un peu les vitres pour mieux distinguer le parcours. On passe devant la prison, la boulangerie, le 5-10-15 avec sa grande enseigne toute illuminée, l'Hôtel Beaurivage, la Lingerie Lefrançois et la Quincaillerie Keable.

Passé la boucherie chez Robert Lévesque et le vieux pont de bois de la Fosse aux Canards, je pèse sur l'accélérateur pour entrer dans l'Anse à vingt milles à l'heure. La visibilité n'est pas bonne dans le secteur à cause du vent et de l'absence de maisons, mais je roule à une bonne vitesse. Le dégivreur du pare-brise accomplit son travail et je réussis à localiser assez bien les balises délimitant la piste. Il faut quand même être prudent, parce que ma snow construite sur mesure est plus large et plus haute d'un pied. J'ai besoin de cette grandeur pour entasser assez de pains, sinon ça ne vaut pas la peine de faire la livraison. Plus d'espace pour le pain, mais aussi plus de prise pour les vents contre lesquels il faut lutter pour ne pas dévier du centre de la route.

Estimant, reprend le boulanger, que l'opération se déroule assez bien, j'invite mes passagers à me rejoindre en avant. Voyant la figure crispée de sœur Saint-Antoine, je lui offre une gorgée de cognac à même le flasque. Baptême, à mon grand étonnement, elle en pique une bonne gorgée, manque de s'étouffer et me gratifie, enfin, d'un beau sourire. Pour la première fois de ma vie je vois une sœur se payer une bonne «shot». On dirait que ça lui fait du bien. Elle commence à expliquer au petit qu'on fait un long, long, voyage et l'invite à dormir un peu, ce qui ne semble pas du tout dans ses intentions à en juger par ses grands yeux qui regardent partout, et ses doigts qui grattent le frimas de la fenêtre.

Dans le bout droit de la Pointe, sœur Saint-Antoine retourne à l'arrière, enlève sa capine et sa robe de religieuse pour apparaître en vêtements civils. Pendant ce temps-là, j'assois l'enfant sur mes genoux et nous conduisons ensemble. Ce voyage-là n'a pas l'air de le déranger fort fort: il trouve ça drôle. On devine qu'il est trop petit pour réaliser le sérieux de la situation. La religieuse enfile le manteau plié dans le grand sac et chausse les bottes qui l'attendaient sur le banc.

Quand elle revient à l'avant pour prendre l'enfant sur ses genoux, j'allume le plafonnier et la regarde; elle est belle en baptême. Je la trouvais jolie chez les sœurs, mais là, avec sa chevelure brune aux épaules et son front dégagé, je jure que je suis surpris. Ma première réaction est de lui demander ce qu'elle a fait de ses longs cheveux; je l'avais vue sans sa cornette au Bocage en allant porter du pain. Elle retourne à l'arrière et ramène une grande tresse qu'elle me montre en souriant avant de la glisser dans le sac que ma femme a préparé pour elle.

Madame, c'est vrai, je vous ai trouvée belle. J'ai même dit à ma femme que je vous aurais fait la cour si j'avais été garçon. Elle m'a répondu qu'elle me comprenait. Vous voyez, j'ai pas si mauvais goût!

À l'approche de Cap-Chat, il faut ralentir, le vent augmente et la visibilité diminue. Par bourrées le vent nous charrie de la poudrerie sur le côté. Par moments, on ne distingue pas grand-chose. On croise une «sleigh» de billots à l'entrée du village. La «team» de chevaux a l'air aussi gelée que le conducteur, qui se voile la face d'un foulard dont les bouts disparaissent dans son casque de poil. D'autres suivent peut-être, je préfère ralentir. Une fois dans le village, les maisons coupent le vent, je peux augmenter la vitesse. En passant sous le lampadaire de l'église, j'en profite pour sortir ma montre et regarder l'heure. Il est huit heures vingt. Je calcule qu'en conservant cette vitesse, nous devrions arriver à temps pour le rendez-vous avec notre correspondant.

Un mauvais moment à passer dans le bout des Méchins. Le vent et la poudrerie ont créé des lames de neige dure et glacée qui nous frappent de travers et donnent des chocs sur les patins. Je sens des coups sur le volant et le véhicule réagit en tirant vers le côté gauche. Chaque fois qu'on heurte une congère un peu haute, la neige déplacée passe par-dessus la voiture, on perd toute visibilité. Il faut faire fonctionner l'unique essuie-glace du pare-brise, en face du conducteur. De temps à autre, je jette un coup d'œil sur l'indicateur de vitesse; on roule en moyenne quatorze ou quinze milles à l'heure. Je suis satisfait de l'allure.

Dans la grande côte des Capucins, on passe proche en baptême d'être renversé en frappant une lame plus haute et plus glacée sur laquelle le patin droit grimpe; le véhicule penche dangereusement. Sans mon réflexe de lâcher le champignon, c'était la fin du voyage. La snow perd son erre d'aller et s'immobilise dans le banc de neige suivant. Il est impossible de repartir. Je ne fais pas ni une ni deux, j'embraye du reculons et descends jusqu'au bas de la côte. Je repars plus à gauche en zigzaguant entre les tas de neige. Une chance, j'ai l'habitude. Il m'est déjà arrivé pareille aventure dans les côtes de Madeleine et de Manche-d'Épée.

Ce niaisage-là, nous fait perdre une dizaine de minutes qu'il faudra rattraper pour sauvegarder notre marge de sécurité. J'allume le plafonnier pour regarder l'heure: il est dix heures dix. Nous avons franchi environ la moitié du chemin, à peu près trente-cinq milles, en moins de deux heures et demie. C'est une bonne moyenne, mais on n'a plus le petit surplus que je me gardais. Je crains moins d'être en retard pour le rendez-vous qu'en retard pour ma «ronne» du lendemain. Rouler un peu plus vite ferait mon affaire.

Mon souhait se réalise. La tempête diminue à mesure que nous approchons de Matane. Dès Grosse-Roche, en réalité, le vent se calme et le temps s'améliore. Même si on s'accoutume à la tempête, il faut l'admettre, la visibilité me paraît meilleure.

Il ne fait pas chaud dehors. Bien que le chauffage soit au maximum, le froid réussit à traverser les murs de bois de la snow trop grande à chauffer. Les couvertures trouvent leur utilité pour mes passagers. Je suis habillé chaudement: je porte des grosses bottes d'aviateur doublées en mouton que j'endure très bien. Vous autres, avec vos petites bottes «fancy», il faut vous envelopper les pieds et les jambes dans une couverture grise en laine épaisse.

Le petit ne dort pas du voyage. J'escomptais que le bruit du moteur, la chaleur de la mère et des couvertures allaient vaincre sa résistance, mais non, il a les yeux bien ronds et n'arrête pas de poser des questions sur le pourquoi des boutons et des cadrans.

Il me demande à chaque mille: «Dans combien de temps on arrive?» J'invente toutes sortes de réponses, longues de préférence, pour étirer le temps, car sœur Saint-Antoine n'est pas des plus jasantes: c'est à peine si elle dit vingt mots de tout le voyage.

Ce que je redoutais survient: «Pipi, ma Mère.» Quel aria! Il faut sortir dans ce «frette-là», déshabiller l'enfant, lui faire faire son pipi, le rhabiller et repartir. Mais on ne peut éviter le problème. J'arrête au bas d'une côte où il n'y a pas de maisons. J'en profite pour imiter le petit et m'étirer un peu.

De nouveau à bord, je sors le thermos de café chaud que ma femme m'a remis. J'en verse un fond de tasse, allume une cigarette et reprends le volant. J'ai aussi offert du café à sœur Saint-Antoine, qui s'est contentée d'en prendre une gorgée. Je suis très surpris, elle me réclame plutôt une gorgée de cognac, qu'elle déguste plus lentement cette fois.

Le reste du voyage se déroule relativement bien. Ma seule préoccupation concerne le relayeur qui prendra mes passagers en charge, mon beau-frère de Sayabec. Sera-t-il au rendez-vous? Les chemins sont entretenus pour les automobiles à compter de Sainte-Félicité. Les patins glissent sur des plaques de gravier; le bruit grinçant donne des frissons dans le dos aux adultes mais l'enfant, lui, s'en amuse. Il faut ralentir sinon le crissement devient insupportable.

Dans les derniers milles du voyage, j'enjoins sœur Saint-Antoine d'être aussi discrète que moi avec mon beau-frère: je lui ai simplement demandé d'être dans la cour du garage de Matane à minuit pour reconduire deux passagers à la gare de Mont-

Joli, d'où ils prennent le train Océan Limitée faisant la navette entre Halifax et Montréal. Je ne lui ai parlé ni des clients ni de la destination finale. Je l'ai assuré d'une paye convenable, un point c'est tout. Mon beau-frère est un gérant de caisse populaire; habitué aux relations publiques, il a la langue bien déliée, il faut faire attention.

Nous arrivons enfin dans la cour du garage Bouffard. Il est minuit quarante. Où est la Ford carrée du beau-frère?... Là! Au bout de la rangée de voitures usagées! Sans perdre de temps, passagers et bagages sont transférés. Le beau-frère a du temps en masse devant lui, le train passe à Mont-Joli vers cinq heures du matin; sachant qu'il conduit vite, je lui dis de ne pas se presser et d'être prudent. Je lui remets dix dollars, ce qui est une bonne compensation.

C'est l'heure des adieux, je ne vous reverrai probablement pas... Je vous souhaite bonne chance et vous regarde vous éloigner. Quand la Ford quitte le stationnement, je ressens un moment de nostalgie. Je n'ai plus de contrôle sur la situation, vous ne dépendez plus de moi. Mon sentiment est mixte, votre départ crée un vide et je me sens seul, en même temps je suis satisfait d'avoir accompli adéquatement ma partie de contrat. Mais le travail n'est pas complètement terminé... Je regarde ma montre: «Baptême! ma «ronne» de pain!»

Je remplis le réservoir de la snow à l'aide des

contenants de carburant. Il me faut en verser un baril au complet et un peu du second. Une tasse de café, une goutte de cognac, une cigarette et me voilà sur le chemin du retour. Je «glisse» un bon train, la visibilité est bonne en dépit d'une petite poudrerie et je ne rencontre personne. À cinq heures vingt-cinq exactement, j'arrive à la maison. Je raconte les grandes lignes du voyage à ma femme, vide la voiture, transvide le reste d'essence dans le réservoir, cache les contenants, et sans tarder je vais à la boulangerie charger le pain pour ma livraison.

Je ne me sens pas trop fatigué. Comme d'habitude, à six heures pile, pendant que mes hommes cordent le pain dans la snow, je vais prendre une bouchée avec le boulanger du matin qui a préparé du café. Des fèves au lard ont cuit lentement pendant la nuit alors que le four refroidissait.

Personne ne se rend compte de ce qui s'est passé, sauf l'employé, Albert, qui trouve la snow plus chaude qu'à l'accoutumée; je lui réponds qu'elle a passé la nuit dans le hangar à farine et qu'à cause du froid, je l'ai laissée tourner une demi-heure avant de venir. Il gobe l'explication.

La conduite des douze dernières heures n'a pas affecté mon humeur. Après le café et les fèves au lard, je donne un coup de main aux hommes pour finir d'emplir le véhicule de pains et de gâteaux. Vers sept heures moins dix, me voilà à nouveau sur la route en direction de l'hôpital, le premier arrêt quotidien. Je tourne au bout de la chapelle, longe le cimetière et m'arrête en face des cuisines. J'entre avec ma brassée de pains pour voir fondre sur moi une sœur Sainte-Bernadette tout en émoi, les yeux rouges, qui me crie presque:

— Monsieur Vallée, vous ne savez pas ce qui est arrivé! Sœur Saint-Antoine est disparue avec le petit Roland, un enfant de la crèche! On ne sait pas où elle est. On la croyait au pensionnat et ce matin, à la messe, on s'est rendu compte qu'elle n'était pas là. Le petit Roland est introuvable lui itou.

Dans sa voix on sent beaucoup d'inquiétude et d'angoisse. Quant à moi, je suis content que la disparition n'ait pas été constatée avant le matin. C'était une baptême de bonne idée de mêler les cartes en prétendant aller à la soirée du pensionnat. On a gagné ainsi pas mal de temps. Je me sens rassuré. Je me dis que le coup est réussi, du moins pour la première étape.

— Avez-vous une idée où ils peuvent être? demandai-je tout en plaçant les pains un à un sur les tablettes de la chambre à pain.

— Aucune. Les «polices» de Matane s'en viennent cet après-midi; les employés sont partis faire le tour pour voir si des fois ils n'auraient pas eu un accident. Sœur Saint-Antoine a l'habitude d'aller faire des promenades autour de la patinoire, d'aller se glisser et même de marcher jusqu'à la ferme de l'autre bord du pensionnat. Mais il faisait si froid hier soir que je serais surprise qu'elle se soit rendue là. Sœur Saint-Gabriel l'a vue sortir avec un grand sac et sœur Sainte-Clothide, qui surveillait la cour de récréation hier soir, l'a aperçue marchant tout près de la patinoire avec l'enfant.

La religieuse fait des grands gestes en me suivant de l'armoire à pains jusqu'à ma voiture, je quéris ma deuxième brassée et elle continue:

– Vous savez, sœur Saint-Antoine était bizarre ces derniers temps, elle ne chantait plus, elle ne venait quasiment plus au Bocage, on ne la voyait plus dans la salle de détente; pour moi elle faisait un début de dépression. Il a pu leur arriver n'importe quoi, vous savez.

Je ne sais pas, justement, où elle veut en venir mais je décide de vérifier:

– Se pourrait-il, baptême, qu'en dépression de même, elle ait eu envie de sortir de chez les sœurs et qu'elle ait «jumpé»? C'est quasiment pas possible, elle avait l'air heureuse chez les religieuses. Pour moi, elle a couché quelque part pas loin, avez-vous vérifié au noviciat? Elle est peut-être allée dormir là?

Dès le retour aux cuisines, les autres religieuses du service viennent se joindre à nous pour entendre la responsable de la cuisine ajouter:

— D'après moi elle est sûrement «jumpée», mais je ne connais pas d'endroits où elle a pu aller, elle n'a pas de parenté en Gaspésie ni ailleurs, elle est orpheline. Elle est sans argent et l'enfant l'accompagne. Je croirais qu'elle est encore quelque part au village et qu'elle va nous revenir, d'elle-même dans le courant de la journée. Elle va être mal prise et va revenir. Ce qui m'inquiète le plus là-dedans, c'est Roland, elle l'aime un peu rare, cet enfant-là. Je ne serais pas surprise que ce soit à cause de lui qu'elle est partie. La Mère supérieure s'en est rendu compte, mais elle aime tellement sœur Saint-Antoine qu'elle lui pardonne tout.

Je suis bien aise en baptême de constater que même la cuisinière en chef, la plus renseignée de la congrégation, n'a pas de doute sur ce qui s'est passé. Elle m'offre un café et je jase avec les autres religieuses, qui partagent le même avis: sœur Saint-Antoine a bel et bien «jumpé» et elle n'est pas loin. Je leur souhaite de la retrouver en bonne santé et leur demande de la saluer de ma part quand elle reviendra.

Continuant ma livraison comme à l'accoutumée, je m'arrête au moulin à scie de Marsoui. Après un bon dîner à la «cookerie», je m'étends sur le lit du «shoreboy» et pique un somme d'une bonne heure avant de repartir.

Je reviens à Sainte-Anne vers cinq heures. Tout le monde ne parle que de la disparition mystérieuse de la religieuse et de l'enfant de la crèche. Les policiers sont venus dans l'après-midi à l'hôpital, interroger des hospitalières, entre autres, sœur Marcienne, qui déclare qu'il s'agit d'une fugue et non d'un accident.

Toutes sortes de rumeurs courent. Un vendeur d'assurances un peu vantard prétend l'avoir vue passer devant le Restaurant du Faubourg vers dix heures du soir, ajoutant même qu'elle était accompagnée du bébé. Le préposé à la patinoire jure à qui veut l'entendre qu'elle a couché dans l'annexe du moulin à Charest et qu'on aurait retrouvé sa robe pliée sur le siège du surveillant des chaudières. Les spéculations vont bon train et j'en suis bien content. Plus il y en a, plus les pistes sont brouillées.

Le lendemain matin à six heures, les policiers viennent me voir à la boulangerie avant ma «ronne» pour me demander si j'ai eu connaissance de quelque chose. Ils n'ignorent pas qu'il m'arrive de reconduire chez elles des postulantes ou des novices qui quittent les sœurs ou que la communauté expulse. Ils veulent vérifier si j'ai vu quelqu'un avec un cheval et une *sleigh*, dans le coin de Rivière-à-Marthe ou Marsoui lorsque je suis descendu dans la matinée d'hier. J'ai effectivement vu un attelage de l'autre bord du ruisseau à Castors, mais il y avait juste un homme à bord, du moins selon ce que j'en ai aperçu. L'autre question est plus directe: ils veulent savoir si je suis sorti avec ma snow le soir en question; d'après leurs investigations, ma Bombardier n'était pas dans la cour. Je leur réponds qu'elle a couché dans le hangar à farine à cause du froid. Ne pouvant rien prouver pour contester cette affirmation, ils me demandent de fournir mon emploi du temps de l'avant-veille en soirée. Ma femme et moi avions convenu de répondre qu'on avait fait la vaisselle, que j'avais lu le journal et travaillé la comptabilité avant d'aller au lit à neuf heures et demie. Nous nous étions entendus sur les heures de coucher des enfants et sur les gestes posés par l'un et par l'autre pour éviter de nous contredire. Je leur dis de vérifier mes dires auprès de ma femme, ce qu'ils font; ils semblent satisfaits.

La semaine suivante, j'entends dire que la Police provinciale vérifie tous les postes d'essence entre Sainte-Anne et Mont-Louis afin de contrôler les achats de gazoline le soir ou la nuit en question. Je ne sais pas s'ils ont procédé à une vérification similaire envers Matane, mais la précaution que j'ai prise m'a paru salutaire. On dirait qu'ils pensent que vous êtes partis vers le bas de la Gaspésie plutôt que vers le haut.

Si des gens du village ont eu des soupçons sur moi, ils ne m'ont jamais accusé du moins pas en face. Personne n'a osé me demander ouvertement si j'avais aidé la religieuse à fuir sauf, sœur Sainte-Bernadette qui, un bon matin, s'est décidée à m'aborder directement:

– Vous, monsieur Vallée, vous seriez au courant de quelque chose au sujet de sœur Saint-Antoine que je ne serais pas surprise. Ratoureux comme vous l'êtes, vous devez en cacher plus que vous en dites. Vous connaissez tout le monde, je peux pas croire que vous savez rien.

Je proteste énergiquement, je jure que j'ignore où elle est, ce qui est vrai, et que si jamais j'apprends quelque chose, elle sera la première à être informée à la condition de continuer à me payer le café, le matin. Elle sourit sans avoir l'air de vraiment me croire.

Excepté ma femme, la seule personne à qui j'en ai parlé est le docteur Lévesque, une couple de mois plus tard. Je l'ai trouvé correct en baptême. Il savait, par le téléphone que vous m'aviez demandé de lui faire, que j'étais impliqué mais il a préféré attendre un bon bout de temps avant de s'informer. Comme il a peur d'être incriminé, il est prudent. Ah oui! j'oubliais, il y a aussi sœur Marcienne qui a dû en jaser avec le docteur, car un jour, elle m'a interrogé sur votre sécurité. Je lui ai dis que selon moi, vous aviez atteint votre objectif. Discrète, elle n'a rien ajouté.

– Si vous pensez qu'un jour, m'a-t-elle simplement murmuré, elle puisse avoir besoin de mon aide, sachez qu'elle peut compter sur moi, c'est ma nièce et je l'aime beaucoup.

Plus tard, au début de mai, je reçois de nouveau la visite d'un policier. Il veut savoir si j'ai entendu parler d'une rumeur qui circule dans les villages d'en bas. Des informateurs auraient vu une femme et un enfant vivant dans un chalet du secteur de Rivière-à-Claude. Devant ma réponse négative, il change de propos pour m'interroger plutôt sur la façon dont j'ai adopté mes enfants. Il se doute de quelque chose, mais il semble penser plus à aller à la pêche qu'à creuser une véritable hypothèse. Je lui dis d'aller en parler au curé Chénard et au député Fortier. Ce sont eux qui ont accéléré le processus. Ma femme en avait besoin et grâce aux bons offices de ces personnes, l'affaire s'est réglée rapidement. Le nom du curé Chénard a semblé mettre fin à ses explorations. Je n'ai jamais eu d'autres inquiétudes par la suite.

Voilà, c'est tout en ce qui me concerne. Rien d'extraordinaire, mais du travail bien fait dont je suis fier. Je peux vous assurer, Madame, que je n'ai jamais parlé de ça à personne d'autre. Je ne dis pas que des fois, avec sœur Sainte-Bernadette... mais j'ai tenu le coup. Mon beau-frère a bien voulu savoir si ses passagers étaient les personnes disparues de l'hôpital. Je me suis mis à rire en lui disant que les voyageurs de ce soir-là ne pouvaient être les fuyards que la police recherche puisqu'ils avaient été localisés sur la basse côte. J'ai prétendu, et ma femme a renchéri, que c'était une mère célibataire issue d'une importante famille désireuse d'éteindre toute l'affaire.

Richard a tout écouté sans dire un mot. Il se lève et tend la main à monsieur Vallée qui s'empresse de la saisir; le boulanger passe son bras gauche derrière les épaules de Richard et l'étreint en silence. Antoinette contemple la scène et murmure:

– Je remercie le Seigneur que rien de mal ne vous soit arrivé. Vous êtes une personne de grande valeur.

Chapitre 10

Après cette courte effusion, Antoinette offre à ses hôtes de passer à table; au menu, le cipaille gaspésien. Richard désire d'abord connaître la suite de l'histoire après le relais de Matane, ce à quoi monsieur Vallée souscrit.

Répondant à leur volonté, Antoinette reprend le récit.

Il m'est difficile de démêler les sentiments qui se bousculent en moi durant la montée vers Matane. Après avoir vécu chez les sœurs depuis l'âge de treize ans ou presque, je fais face à un monde nouveau. C'est la première fois que je voyage en autoneige: le bruit, le froid et la noirceur créent une ambiance insécurisante. Je me cache à l'arrière, j'ai le sentiment d'être une criminelle en fuite. En réalité j'en suis une aux yeux de la loi, et j'en suis toujours une, même si mon sentiment de culpabilité s'est depuis longtemps estompé. Je repense aux gestes posés jusqu'à ce jour; le début est bien enclenché, mais le plus dur reste à venir. Je me dirige vers l'inconnu total et je crains pour nous trois.

Derrière, le grondement du moteur est assourdissant. Devant, les sièges pliants de chaque côté du conducteur ne sont pas confortables, mais je m'en accommode bien. Vous allez rire de moi: la gorgée de cognac offerte par notre conducteur, me donne un choc je l'avoue, qui me ramène vite sur terre. Le grand choc c'est toutefois un peu plus tard que je le subis, quand j'enlève ma cornette et ma robe de religieuse. Pour la première fois, je fais face à une réalité que je me refusais d'admettre: je suis une défroquée, et c'est un drame dont je n'avais pas prévu l'ampleur. À l'époque, les défroqués ont comme la lèpre ou le cancer; ils sont marqués à vie. Je mets fin aux promesses faites à ma prise d'habit, sans dispense de l'Église ou de la congrégation. J'y avais songé, bien sûr, mon geste était mûri; mais passer à l'acte, ce n'est pas comme le prévoir. Je pleure. Je suis défroquée. Cette dure constatation me coupe la parole de tout le voyage. Le mot s'incruste dans ma tête, la culpabilité m'atteint profondément. Ce sentiment m'a habitée longtemps. Encore aujourd'hui, je ressens une sorte de gêne, j'ai toujours le mot en aversion.

J'ai peur quand la snowmobile manque de verser, ce serait la fin de notre course et la fin d'un rêve. Pour monsieur Vallée, comme pour moi, l'accident nous conduirait directement en prison. Il faut peu de choses pour faire échouer mon plan. Une fois repartis grâce à l'habileté de monsieur Vallée, je remercie Dieu de sa bienveillance et L'implore de me donner Sa grâce et de fournir Son appui tout au long de cette pénible aventure.

Je me sens plus en sécurité. Je demande à Roland

de m'appeler seulement «ma mère» pour éviter qu'à la gare ou ailleurs, il laisse échapper un «ma Sœur» ou «sœur Saint-Antoine». Il ne connaît pas encore la valeur du mot maman, mais il maîtrise le vocable «ma Mère» appris à la crèche, moins compromettant et plus facile à apprendre.

Nous changeons de voiture et de conducteur à Matane. Comme monsieur Vallée, moi aussi je ressens un vide en quittant l'autoneige pour nous confier à un inconnu. Ce grand monsieur nerveux de plus de six pieds conduit vite et mal, il ne m'inspire pas confiance. Je perds un peu de l'assurance durement acquise dans la première partie du voyage, d'autant plus que l'autre ne cesse de m'interroger de sa grosse voix:

– D'où vous venez comme ça? Vous avez pas beaucoup de bagages, partez-vous pour longtemps? Comment il s'appelle votre bébé? Il a quel âge? Où allez-vous? Comment il se fait que c'est le beau-frère qui paye pour vous?

Je ne réponds sans mentir qu'aux questions sans importance, les autres me permettent d'exercer mon imagination. Les réponses les plus farfelues ne le découragent pas. Il se met alors à interroger Richard. Je saisis, dès lors la nécessité de toujours laisser l'enfant dans l'ignorance de notre destination. Ainsi, le monsieur n'est pas plus avancé à Mont-Joli qu'à notre départ de Matane. J'ai suivi votre conseil, monsieur Vallée.

Quand nous débarquons à la gare, il est tout près de deux heures et demie du matin, nous devons subir deux longues heures et demie d'attente. Le restaurant est fermé, mais le vendeur de billets, et responsable de la station, nous offre du café à dix sous. Vous allez vous moquer de moi, mais je n'ai pas la monnaie qu'il faut; je n'ai que de grosses coupures. Je dois d'abord acheter les billets Mont-Joli – Montréal au coût de six dollars et quatre-vingts.

Outre le préposé, je ne vois que deux personnes dans la salle: un homme qui dort sur un banc et une vieille dame qui tricote près du guichet.

Je fais pour une première fois le bilan de la soirée et d'une partie de la nuit; je me rappelle soudain que dans l'énervement du transbordement, mes habits de religieuse sont demeurés sur le siège arrière de l'autoneige. Ces vêtements incriminants doivent disparaître. Devrais-je téléphoner à madame Vallée? Après réflexion, je m'abstiens; si je réveille la téléphoniste du central de Sainte-Anne ou encore qu'elle écoute (ce dont on la soupçonne), elle pourra identifier ma voix et me dénoncer aux policiers. Je risque de réparer une erreur par une autre plus dangereuse. J'opte de faire confiance au boulanger. Dites-moi, monsieur Vallée, êtes-vous retourné à la maison avec ces vêtements dans la voiture?

— Bien sûr, c'est seulement au retour chez nous,

qu'en faisant le ménage de la snow, je vois la robe, la cornette et la cape sur la banquette, près des barils. Dans la noirceur, je les avais pris pour des couvertures. Je confie ces habits à ma femme qui les cache dans la cave, à travers le bois de chauffage. Le soir, je les fais brûler dans la fournaise à bois en commençant par la cornette et en finissant par la robe. Avec le froid qu'il fait, on chauffe tellement que ça paraît même pas. Ça sent un petit brin, mais l'odeur se mélange bien en baptême avec celle de l'érable.

Monsieur Vallée finit sa phrase et donne le plus bel exemple de son tic; il secoue les épaules et renverse la tête vers l'arrière en riant.

– Je suis bien contente qu'il n'y ait pas eu de conséquences graves. C'était une erreur impardonnable; la marge de manœuvre était trop étroite pour se permettre des gaffes. Je m'en voulus d'une telle imprudence et me promis d'être plus méticuleuse à l'avenir.

L'attente est longue à la gare. Je réussis à endormir Richard. En vêtements civils, je suis mal à l'aise dans le monde ordinaire. Il est gênant de se retrouver en jupe courte aux genoux, la tête couverte seulement d'un béret, en présence d'inconnus, quand pendant plus de cinq ans et demi le vêtement vous allait aux chevilles. Les cheveux courts, j'ai la sensation d'être toujours nu-tête. Je ne sais plus quel maintien prendre pour être dans le ton, j'ai l'impression que les gens me regardent comme un animal de cirque. J'essaie de me donner une contenance en lisant un *Soleil* abandonné sur un siège et je sirote mon café. Pour assurer ma sécurité, je prends place sur le grand banc vert adossé au mur, le dos à la ligne de chemin de fer. Je peux voir entrer les gens sans qu'ils puissent me repérer immédiatement.

La station de Mont-Joli s'anime vers quatre heures. Arrivent graduellement des gens en provenance de Matane, de Rimouski, d'Amqui et de Baie-des-Sables. Je ne connais personne. Quand approche le moment de prendre le train, nouvelle hantise: je n'ai jamais utilisé ce moyen de transport. Les seules notions que j'en ai proviennent de livres ou encore de films présentés le samedi soir aux filles du pensionnat. Je prends la décision de chercher quelqu'un que je puisse suivre, une sorte de guide ou de poteau indicateur. Je rejette d'emblée ces hommes qui ont l'air de revenir du chantier, qui parlent fort et sacrent comme les vrais bûcherons qu'ils sont. Au centre de la grande salle, quatre hommes qui semblent être des habitués se tiennent en rond et jasent avec beaucoup de plaisir, leur valise de cuir brune ou noire à côté d'eux. Près du poêle ou de la fournaise à charbon, est-il nécessaire de le préciser, je repère une jeune femme dans la vingtaine accompagnée de deux enfants. Le plus jeune a l'âge de Richard et la fille a tout au plus quatre ans. Dès son arrivée, la dame a remis ses nombreuses boîtes et valises au responsable, qui les a empilées sur un chariot. Je traîne toujours mes sacs avec moi. Mon guide est tout désigné: ce sera cette jeune femme.

Soudain, je m'alarme, un grand monsieur vêtu d'un uniforme pénètre dans la gare. Il porte une arme au côté droit qui fait une bosse sous l'espèce de redingote de l'armée de couleur kaki. Il semble chercher quelqu'un dans la salle enfumée. Son visage s'éclaire d'un grand sourire, il se dirige rapidement vers un homme âgé et les deux s'éloignent joyeusement comme de vieux amis longtemps séparés. Je pousse un soupir de soulagement.

Le train entre enfin en gare, siffle et s'immobilise devant le quai. La trentaine de voyageurs se précipitent. J'ai de la difficulté à réveiller Richard, comme mon guide, son plus jeune enfant. Je synchronise ma sortie avec la sienne et nous grimpons dans le premier wagon; il est plein. Même chose pour le deuxième. L'Océan Limitée est une légende, c'est le train le plus chic et le plus utilisé de la ligne du C.N.R.

Nous nous attachons à suivre fidèlement notre jeune dame jusqu'à ce que nous croisions un homme à la peau noire portant l'uniforme de la compagnie. Richard s'arrête, surpris, et me demande pourquoi le monsieur est si noir. Mal à l'aise, j'implore l'homme dignement vêtu de l'habit noir aux bordures dorées et de la casquette ronde d'excuser les propos de mon enfant. Il rit de bon cœur, se penche vers Richard et lui explique doucement, avec un léger accent anglais qu'il est né ainsi. Poursuivant sa gentillesse, il nous conseille de continuer jusqu'au wagon suivant, où des places sont encore libres. Nous arrivons à deux banquettes qui se font face. La Providence, je le constate avec joie, est manifestement toujours bienveillante, la jeune femme de la gare occupe l'une d'elles.

Le train quitte à peine la gare que la fillette commence à parler à Roland, ce qui oblige les parents à se dégeler et à faire connaissance. La dame est jasante et accueillante. Elle va rejoindre un mari qui s'est trouvé un emploi dans une manufacture de chaudrons de Montréal. Quand vient mon tour d'expliciter le but de mon voyage, je lui refile le mensonge toujours efficace de la mère célibataire forcée par des parents intraitables de partir . De peur que Roland ne me trahisse, j'ajoute que l'enfant a passé beaucoup de temps à l'hôpital et que la prudence recommande de se rapprocher des spécialistes.

La dame me raconte qu'elle a séjourné quelquefois dans la métropole et me renseigne sur la ville, le prix des logements, l'utilisation du tramway et de l'autobus. Ma mémoire emmagasine tout. Je la trouve sympathique et nous jasons de plusieurs sujets. Je lui narre entre autres la véritable histoire du père décédé à la guerre et le refus de la belle-famille de reconnaître la paternité de leur fils. Elle s'offusque d'un tel comportement. Elle m'apprend qu'elle est une jeune enseignante qui a dû laisser son emploi à la suite de son mariage; elle pense trouver plus facilement autre chose à Montréal.

Les enfants s'endorment sur les banquettes transformées en couchettes. Pour qu'ils soient plus à l'aise, nous avons loué du «steward» des couvertures et des oreillers à quinze sous pièce. Près de Rivière-du-Loup, vers sept heures du matin, le chariot du déjeuner commence à circuler. C'est vraiment cher: le café coûte 15 sous et le sandwich au jambon 40, le double des restaurants. J'ai l'impression de me faire voler, mais je n'ai pas le choix, j'ai faim. J'achète aussi une brioche et une tablette de chocolat *Évangéline* pour les petits à leur réveil.

Le voyage prend fin à la gare Windsor vers deux heures de l'après-midi. Un nouveau défi commence. Je prends congé de ma compagne, qui tient absolument à me refiler son adresse, mais jamais je ne la contacterai: j'ai trop peur qu'on puisse, par son entremise, remonter jusqu'à nous.

Un chauffeur de taxi accourt, m'enlève presque de force les sacs des mains et nous conduit à sa voiture.

– Alors, Madame, on vous mène où?

Dans le train, ma compagne de voyage m'a mise en garde contre la mauvaise habitude de certains conducteurs de taxis d'exploiter la confiance des clients qui ne connaissent pas la ville. De ma voix la plus rassurée, j'annonce donc:

— Rosemont, s'il vous plaît!

C'était la destination conseillée par la dame du train.

— Quelle rue, Madame?

Je n'ai pas prévu cette question, il m'est impossible de répondre convenablement. Je pensais que mentionner Rosemont suffirait. Croyant que je n'ai pas entendu, le chauffeur répète:

— Dans quelle rue de Rosemont désirez-vous aller, Madame?

Prise au piège, je fonce: il s'agit de mon premier séjour à Montréal, je suis une fille-mère rejetée par ses parents, je cherche un appartement et du travail. Il écoute calmement et nous conduit dans cette rue où nous sommes. Il me prévient d'éviter les rues Sainte-Catherine et Saint-Laurent et de chercher du travail rue Saint-Hubert. Le secteur est en développement, dit-il, et avec l'instruction que je semble avoir, dénicher un emploi devrait se faire assez facilement. Je le trouve honnête et gentil: ce premier contact détruit chez moi une partie du mythe de la grande ville dangereuse.

Nous marchons, sacs à la main, sur les rues

Saint-Hubert, Bélanger et Jean-Talon pour dénicher une pension convenable, et peut-être aussi du travail. Au coin d'une rue, je vois un amas de déchets empilés pour une éventuelle cueillette. J'en profite pour me débarrasser de ma tresse de cheveux. Je la dissimule à travers les restes d'une boucherie en prenant bien soin de la faire disparaître.

Il faut se rendre à l'évidence: nous sommes à bout de forces tous les deux: Roland pleure pour des riens, et moi je suis fourbue. Sans hésitation, je décide de coucher à l'hôtel tout près. La salle à manger du *Beau Lieu* est presque vide en cette fin d'après-midi: on choisit une table près de la porte. Après un repas de poisson vraiment pas frais suivi d'un thé pour moi et d'un verre de lait pour Roland, nous louons une chambre au premier étage.

Pour la première fois seule avec l'enfant, j'ai le sentiment très profond d'être une vraie mère. Il n'y a plus d'intermédiaire entre nous. C'est devenu une réalité exaltante, nous sommes une famille, incomplète, mais une famille quand même.

Je prends mon bain avec mon fils comme une vraie maman peut le faire. Je profite de cette période de douce détente pour le coller contre moi et sentir le contact de sa peau sur la mienne. Ce geste me donne la sensation d'une maternité. J'ai été à même de constater une réaction similaire chez les nouvelles accouchées, mais moi, je n'ai jamais ressenti une telle sensation. Là, ce soir, je vis ce contentement qui me réjouit: je goûte un sentiment comparable à celui d'une mère souriante tenant son enfant pour la première fois dans ses bras, en oubliant les douleurs de l'accouchement. Je change le nom de Roland en celui de Richard, comme pour lui donner un nouveau baptême. J'essaie de lui apprendre à ne plus dire «ma Mère» mais maman. Tous les deux, il nous faudra quelques jours pour apprivoiser notre nouvelle relation.

L'enfant s'endort rapidement. Malgré la fatigue, je m'oblige avant de l'imiter à procéder à une rétrospective des événements des vingt-quatre dernières heures. Fière de moi, je remercie le bon Dieu et saint Antoine, mon grand patron, d'avoir permis que tout se déroule bien. En souriant, j'essaie d'imaginer les réactions du personnel de l'hôpital et de la population du village au constat de ma fuite. Ça me fait un petit velours de penser à la jalousie et à la colère de la Saint-Gabriel. Je prie pour monsieur Vallée, demandant que tout se soit bien passé de son côté. Je pense aussi à sœur Marcienne qui, je la connais, doit être morte d'inquiétude. Sa figure impassible ne laisse sûrement rien paraître, mais elle doit bouillir à l'intérieur.

Je m'interroge sur le rôle des policiers et sur les indices laissés derrière nous, et susceptibles de nous trahir. Sauf ma robe de religieuse, je n'en trouve pas.

Morte de fatigue, je m'endors vers huit heures du soir. Le lendemain, après un déjeuner matinal, nous reprenons nos démarches, avec l'intention de nous trouver à loger dans les rues avoisinantes. Nous découvrons, rue Châteaubriand, une affiche annonçant une chambre avec pension. Je monte au palier et tourne la sonnette; une femme d'une cinquantaine d'années apparaît. Elle nous invite à entrer. Ses yeux nous examinent scrupuleusement; nous n'avons pas l'air de passer le test car, sans nous donner le temps d'une explication, elle déclare sèchement:

– Je regrette, Madame, mais la chambre et la pension, c'est pour une personne, pas pour une famille.

J'insiste:

– Juste le temps de me trouver du travail. Aussitôt que je le peux, je vais prendre un appartement. J'ai de l'argent pour payer, soyez sans crainte.

Pour prouver mes dires, je lui offre immédiatement la pension d'une première semaine: douze dollars. En Gaspésie, j'en aurais à peine payé huit ou dix. J'ajoute, pour l'amadouer, qu'elle pourra assurer la garde de l'enfant et bénéficier d'un montant additionnel, ce qui met aussitôt fin à ses tergiversations.

– J'accepte, dit-elle en plissant le front, mais

vous me promettez de partir aussitôt que possible. De toute façon, je ne vous garde pas plus de trois semaines. J'espère que votre enfant n'est pas malcommode, c'est tous des adultes et des hommes qui sont pensionnaires ici.

Je la rassure. Je déballe nos affaires dans une chambre d'environ une fois et demie la grandeur de la cellule que j'ai quittée. Au mur opposé à la rue, un lit à deux places. Le long du mur perpendiculaire au lit, une grande commode de bois brun, avec sur le dessus un bassin blanc et un grand pot de grès de la même couleur pour la toilette. La décoration est simple: le bas des murs est peint en blanc, en vert le haut et le plafond. Sur un mur, un crucifix et un calendrier avec la photo d'un camion plein de bois. Un placard sert de garde-robe. C'est suffisant et convient parfaitement à l'enfant et à moi.

Aussitôt notre peu de linge rangé, je confie déjà le bébé à la logeuse pour me lancer à la recherche d'un emploi. Je l'avoue, je crève de jalousie: à peine ai-je vraiment la possession de cet enfant que je dois le laisser à quelqu'un d'autre. Pendant deux ans j'ai vécu le même sentiment: chaque fois que je dois sortir seule, je vis la crainte qu'on vienne m'enlever mon fils pendant mon absence.

Je trouve un emploi de serveuse dans un petit «snack-bar». C'est alors que je change d'identité: je donne le nom de Madeleine Cloutier comme étant mon nom véritable. Je conserve ce faux nom jusqu'à aujourd'hui. Ce n'est pour moi qu'un délit additionnel, j'en ai fait tellement depuis deux jours... Un de plus, un de moins.

N'ayant jamais travaillé «dans la friture» ni utilisé de machines à soda ou à lait fouetté, j'ai trop à découvrir en même temps. Deux jours plus tard, malgré l'entraînement reçu, je subis le seul congédiement de ma vie. Je ressens un sentiment d'échec que je dois vivre seule. Dans une congrégation, c'est l'avantage de vivre en groupe, nous sommes écoutées, entourées et soutenues; ici, je dois me débrouiller seule, compter uniquement sur ma force de caractère pour surmonter ma peine. Encore une fois, j'utilise la crise de larmes comme moyen de défoulement. La propriétaire de la pension essaie de me consoler, en me disant qu'avec mon instruction, je devrais être en mesure de me trouver un meilleur emploi que celui de serveuse dans une friterie minable de la rue Jean-Talon.

La nécessité m'oblige, après deux jours de repos, à faire le tour des commerçants et des petites usines. Dans l'après-midi, rue Saint-Hubert, je vois un monsieur placer un écriteau réclamant une personne sachant lire et écrire pour travailler comme commis dans une pharmacie. Sans hésiter, je me présente et après une conversation de deux ou trois minutes, il retire l'affiche. J'y suis depuis bientôt vingt-cinq ans.

Pour lui expliquer mes origines, je lui raconte que je suis née dans la vallée de la Matapédia, ce qui est vrai. Lui-même est originaire de Rimouski, ce qui nous donne une affinité qui m'est favorable. J'ai séjourné quelque temps en Gaspésie et c'est à Mont-Louis que je suis devenue enceinte d'un soldat décédé depuis. Mon mensonge habituel de la mère célibataire rejetée a passé comme du beurre dans la poêle.

Les événements se bousculent dans les premiers jours. Pour être informée de ce qui se passe à la suite de notre fugue, j'écoute la radio et lis tout ce qui se publie. Je commence dès le premier soir de notre arrivée à Montréal. Les journaux paraissent alors à la fin de l'après-midi. J'achète *La Presse* dans une tabagie et je réussis à trouver *l'Action Catholique* de Québec dans une librairie. Je les feuillette avec avidité pour vérifier si l'on fait quelque allusion à notre escapade. Dans le quotidien montréalais, aucune mention, mais dans celui de Québec, à la page 9, un petit article attire tout de suite mon attention: MYSTÉRIEUSE DISPARITION EN GASPÉSIE. En dix lignes à peine, on raconte qu'une religieuse et un enfant sont disparus de l'hôpital de Sainte-Anne-des-Monts sans qu'on sache ce qu'ils sont devenus. On ne donne ni les noms ni la description des fugitifs; j'en suis très contente. J'ai conservé cet article, je vous le montrerai. Mais ma crainte se décuple, le samedi suivant, quand j'examine le journal *La Patrie*. J'y retrouve maints détails: le nom et la date de naissance de l'enfant, ma description et encore plus dangereux, une photo de moi en religieuse, un portrait dont j'ignorais l'existence. Ce journal fait aussi partie de ma collection; je l'ai caché depuis dans un endroit secret de la maison. Même si la photo n'est pas parfaite et que le papier est jauni, Richard pourra me reconnaître en costume de religieuse. L'article conclut en spécifiant que les corps policiers croient que les fuyards sont toujours en Gaspésie et que l'enquête piétine, faute d'indices. On ajoute que si quelqu'un possède des détails pouvant résoudre l'énigme, il n'a qu'à communiquer avec la Police provinciale et Gérald Marin, l'enquêteur chargé du dossier. La radio, à ma connaissance, est muette, du moins dans les grandes stations de Montréal.

Le reportage de *La Patrie* m'oblige à être encore plus circonspecte. Imaginez-vous qu'en une semaine, j'ai changé de statut, d'identité, d'apparence, de région et deux fois d'emplois. Il faut avoir de bons nerfs, et je ne croyais pas que j'en avais autant. Au travail, dans les jours suivants, je développe le sentiment que chaque client peut être un délateur potentiel. Je me frise les cheveux et me maquille pour la première fois de ma vie. L'expérience du maquillage n'est pas une réussite; par chance, une compagne de travail me donne un cours de base et m'enseigne plusieurs trucs utiles. L'effet est acceptable.

La prière m'apporte un grand soulagement. Chaque soir, tous les deux, à genoux au pied du lit, nous récitons notre prière. J'enseigne à Richard le *Pater* et l'*Ave Maria*. C'est un moment privilégié pour moi, qui travaille quarante-huit heures par semaine, du lundi au samedi. Je ne dispose pas de beaucoup de temps avec mon enfant. Je jouis il est vrai d'une pause d'une heure pour dîner, un luxe assez rare à l'époque, mais c'est bien peu pour jouer avec lui ou faire une petite sortie. Les seuls moments d'intimité ont lieu après le souper, quand je me promène aux alentours pour chercher l'appartement qui nous conviendrait. Aussi, j'apprécie chacune de ces minutes de prières quotidiennes avec une joie non dissimulée.

L'enfant fait rapidement la conquête de la propriétaire de la pension. Nos trois semaines de grâce sont écoulées et le choix d'un logement n'est toujours pas arrêté. Je me prépare à louer n'importe quoi ou presque, quand notre patronne me prie de ne pas hâter ma décision. «Vous pouvez rester, dit-elle, le temps nécessaire.» Elle souhaite que Richard soit bien logé et surtout qu'il soit assuré d'avoir une bonne gardienne. Nous profitons de son offre et vivons là jusqu'en mai. On y est bien, la nourriture est bonne et les autres pensionnaires se comportent en gens de la ville: ils se mêlent de leurs affaires et nous parlent rarement, ce qui nous accommode.

J'ai dû mentir à la logeuse quelques fois. Un jour, Richard parle tout bonnement de l'hôpital où il vivait et de sœur Saint-Antoine qui est devenue sa mère. Il m'a fallu inventer l'histoire d'un long séjour à l'hôpital à la suite d'une maladie infantile mal soignée et du dévouement d'une religieuse agissant comme une mère pour l'enfant. La logeuse semble se satisfaire de mon explication et si ce n'est pas le cas, elle garde le silence. Elle plaint l'enfant et lui prodigue plus de compassion et de tendresse.

Un soir, au cours d'une de nos promenades de prospection, je découvre un logement de cinq pièces très convenable. Nous emménageons en juin, le temps d'acheter des meubles avec l'argent du docteur Lévesque. Je n'ai pas fait beaucoup d'économies sur mon salaire à cause de la pension, de la garde de l'enfant et des vêtements qu'il faut acheter pour nous deux. Mon revenu y passe, mais sans que j'aie à puiser dans le trésor gracieusement fourni par le docteur au moment du départ. L'appartement se situe à un coin de rue de la pension, ce qui permet à la propriétaire de continuer à garder l'enfant. Elle l'a fait jusqu'à sa mort.

Richard se souvient très bien de cette dame qui marchait avec lui jusqu'à la pharmacie de sa mère, au bureau de poste, à l'épicerie-boucherie au coin de Jean-Talon. Pour le gâter, elle lui achetait des «cochonneries» dénoncées sans trop de conviction par sa mère qui n'avait pas toujours les moyens de lui procurer le chocolat et la boisson gazeuse que «tante» Mariette lui offrait. C'est la seule tante qu'il ait connue, et par son affection, il lui rendait les petits cadeaux reçus. Elle l'a aidé à faire ses premiers devoirs et à apprendre ses premières leçons. Elle est cependant disparue rapidement à la suite d'une attaque cardiaque: il devait avoir huit ans. Après le décès, il s'est débrouillé seul, faisant ses travaux scolaires à l'appartement en attendant le retour de sa mère, qui, prévenante, planifiait la veille un souper qu'elle n'avait qu'à faire réchauffer après le travail.

Voilà, coupe rapidement Antoinette, c'est l'essentiel du récit. Le reste, Richard, tu le connais. Aussi, si vous le voulez bien, je vous invite à passer à table; nous pourrons éclaircir certains points. Je te ferai, Richard, une dernière révélation pour que tu saches tout.

Richard se lève et embrasse Antoinette, en la soulevant de terre, lui disant probablement le seul mot résumant toute sa pensée: «Maman». Antoinette ne peut retenir ses larmes et serre contre elle ce fils qui vient de lui confirmer que c'est elle, sa mère. Richard, ému, admet que jamais il n'avait cru être ainsi aimé, remerciant Antoinette de l'amour témoigné à son égard.

Chapitre 11

Une fois tous attablés et le service fait, Richard veut vite connaître la révélation annoncée par sa mère. Antoinette rappelle qu'au cours du récit, elle a mentionné que le docteur Lévesque s'était engagé à fournir une aide financière à Richard. Quand il a su que le jeune homme s'était inscrit à la faculté de médecine, il a déposé à l'Université de Montréal un montant suffisant pour couvrir les frais de scolarité de la première année. Il a fait de même pour les années subséquentes. Richard se montre étonné; il se sentira gêné de revoir son bienfaiteur... Antoinette lui demande de la discrétion et l'enjoint de ne parler du sujet au médecin que si lui-même l'aborde.

Le mécène a fait autre chose pour elle: il lui a procuré le certificat de baptême de la vraie Madeleine Cloutier pour qu'elle puisse obtenir un numéro d'assurance sociale et s'inscrire à l'assurance-maladie du Québec.

Monsieur Vallée veut savoir si elle a été inquiétée par la police ou par des inspecteurs du gouvernement.

— Jamais je n'ai été importunée. Dans les premiers mois de notre arrivée à Montréal, j'ai toujours vécu sur le qui-vive. Je me terrais le plus souvent dans l'appartement, évitant de me montrer dans les endroits publics. Puis, graduellement, j'ai repris confiance et j'ai commencé à vivre normalement. J'ai repris contact avec le docteur Lévesque en 1956 par l'intermédiaire du propriétaire de la pharmacie qui partait faire le tour de la Gaspésie. Je lui demande de remettre ma missive de main en main, à ton parrain, ce qu'il fait correctement. Dans sa réponse, le médecin m'informe que plus de neuf ans après notre départ, on a oublié ou presque notre disparition de la région. Il m'invite à lui rendre visite. J'en ai bien envie, mais la prudence est de rigueur et en outre je manque d'argent pour défrayer le voyage.

Je ne vis pas richement. Mon salaire de commis de pharmacie suffit à peine à payer le loyer, la nourriture, la gardienne: je ne peux économiser assez pour me permettre des grandes folies. Le cours classique au collège de Rosemont, en dépit de ton statut d'externe, me coûte quand même une quinzaine de dollars par mois, à part les volumes et le transport en autobus. Le peu d'argent excédentaire sert à l'habillement et à l'achat de livres, le seul luxe jamais permis.

– Vous n'avez pas pensé à vous marier? demande Richard, comme si cela aurait pu régler quelque chose.

– J'y ai songé quelquefois, mais uniquement dans le but de te donner un père. On m'a souvent invitée à aller manger au restaurant, à assister à des concerts ou à faire des voyages. J'ai toujours refusé, car j'étais et je suis toujours une religieuse dans mon âme. J'étais heureuse dans ma congrégation et je ne l'ai pas quittée avec l'idée du mariage. Ma vocation religieuse est toujours vivante et si je suis sortie, ce n'est pas pour me marier, mais pour devenir la mère d'un enfant à qui j'ai voulu donner mon amour. J'étais prête à tout sacrifier pour lui assurer la meilleure des éducations possibles selon notre condition sociale et économique. J'ai fait la promesse d'une chasteté que j'ai toujours respectée. Aujourd'hui que tu n'as plus besoin de moi, je t'assure, si c'était possible, je redeviendrais religieuse, chez les sœurs de Saint-Paul-de-Chartres. C'est une bonne communauté. En passant, savais-tu que si les autres congrégations connaissent une désaffection presque totale, chez les sœurs de Saint-Paul, la réduction des vocations est à peine sensible? Des jeunes filles demandent encore à devenir postulantes, et l'on réussit à maintenir le noviciat aussi plein que dans mon temps.

Monsieur Vallée est bien au courant de ce fait, mais Richard ignore que la vie religieuse peut encore attirer des jeunes filles. Au contraire, il avait remarqué l'âge avancé des hospitalières et croyait que la relève était à la baisse.

– La finalité de la communauté, continue Antoinette, a bien changé. Depuis deux ans, l'hôpital appartient au gouvernement du Québec. Les novices ne se destinent plus à la profession d'infirmière, mais se lancent dans l'enseignement pour faire fonctionner l'école privée qu'est le pensionnat. La maison pour personnes âgées prend de plus en plus d'importance et occupe une bonne partie des religieuses qui prononcent leurs vœux encore en 1971. Des missions à l'extérieur du pays ont remplacé les œuvres locales.

— Comment savez-vous tout cela? Vous n'êtes jamais retournée en Gaspésie! demande Richard, étonné.

— C'est vrai, mais je me suis renseignée en lisant les journaux et en jasant quelquefois avec des Gaspésiens qui viennent à la pharmacie et dont l'accent trahit la provenance.

— Avez-vous vérifié la possibilité de sortir un jour de la clandestinité?

— Je n'ai fait aucune démarche, mais j'ai lu qu'un acte criminel de ce type ne s'efface jamais, de sorte que je suis condamnée à vivre avec mon secret, ou plutôt avec notre secret maintenant.

— Maman, je voudrais essayer quelque chose. Je connais un bon procureur, copain de collège qui m'aiderait sûrement à défendre notre cause. Je pense que des circonstances atténuantes importantes jouent en votre faveur et vous permettraient d'être graciée. Voulez-vous que je m'en occupe? Mais avant tout, une question préalable, aimeriez-vous un jour revenir en Gaspésie?

Antoinette pousse un soupir et tarde un peu à répondre:

– J'aimerais y retourner pour constater les changements, revoir les lieux où j'ai vécu, rencontrer le docteur Lévesque et certaines religieuses qui doivent se souvenir de moi et que j'aurais plaisir à revoir. Sœur Marcienne, ma tante, est toujours vivante et malgré ses quatre-vingts ans, on me dit qu'elle est encore lucide et alerte. Mais j'hésiterais beaucoup à retourner vivre en Gaspésie; j'aime mon travail et je ne suis pas certaine de pouvoir trouver l'équivalent là-bas. Mais si tu décides d'y vivre en permanence, je ne dis pas qu'un jour... En passant, j'ai su par monsieur Vallée que ta secrétaire est jolie et gentille, et qu'elle a l'air de te trouver de son goût; aurais-tu des idées que tu caches à ta mère?

Richard ne s'attend pas à une interrogation aussi directe; il rougit comme un coq et demeure un moment muet d'étonnement. Il a certes constaté que Nicole l'apprécie, mais comme patron, pense-t-il. Ils sont presque du même âge et s'entendent bien, mais c'est tout. D'ailleurs, il n'a jamais manifesté trop d'intérêt pour les filles, autrement que comme des amies ou des collègues à la faculté et à l'hôpital. Durant ses études, il est trop préoccupé par ses résultats et par son travail comme préposé à la sécurité sur le site de l'Exposition universelle de Montréal en 1967. Ce travail à temps partiel, le soir et les fins de semaine, lui permet de se payer les livres de médecine à la pointe de la profession. Il s'accorde aussi un voyage à Boston pour étudier la possibilité d'un perfectionnement. Pas de fréquentation sérieuse, à part quelques amourettes occasionnelles. Nicole, il la trouve de son goût, mais il craint de la courtiser. Il travaille trop, voilà son handicap; il ne refuse aucune visite à domicile, même la nuit. La réponse à la question de sa mère n'est pas facile, et le boulanger a l'air d'en avoir découvert plus que Richard aurait souhaité.

– C'est vrai, je la trouve jolie, mais il ne s'est rien passé entre nous. J'ignore même si nos relations peuvent dépasser la simple relation d'affaires. Tu le sais, les filles n'ont jamais été ma préoccupation majeure, mais je ne nie pas un certain penchant pour elle. Tu vas sûrement l'aimer quand tu vas la connaître.

Richard se rend compte qu'il vient d'avouer son intérêt pour la fille; son désir de la présenter à sa mère est révélateur. Voyant qu'il s'est trahi lui-même, il éclate de rire. Antoinette et monsieur Vallée font de même.

– Il faut que je lui téléphone justement; nous ne serons pas de retour avant demain soir, et je dois me faire remplacer toute la journée.

Épilogue

C'est aujourd'hui le 7 juillet 1972. La salle de réception est bondée. Les Pelletier constituent la presque totalité de l'assistance. Les huit frères de la mariée sont là avec leurs épouses, les enfants et toute la parenté. Du côté du marié, pas beaucoup d'invités: sa mère, le docteur Lévesque, monsieur Vallée, leurs conjointes et quelques confrères de collège et d'université. Parmi eux, Pierre Lemieux, un jeune avocat qui a rendu de précieux services à Richard et à sa mère.

Procureur dans le dossier d'Antoinette, il a été l'instigateur des démarches en vue de la levée sans condition des accusations pesant contre elle. Du côté de la Couronne, Maître François Lapointe, après plusieurs conciliabules avec Maître Lemieux, a jugé opportun de ne pas porter la cause en cour, malgré les preuves accablantes. Il a rencontré les autorités actuelles de l'hôpital, désormais propriété de l'État, qui ont pris fait et cause des gestes posés par les anciens gestionnaires. Le conseil d'administration n'a pas hésité une seconde à retirer la plainte déposée par l'ancienne direction. Pour les nouveaux dirigeants, c'est simplement un embarras de moins.

Il fut cependant plus difficile de faire retirer la

plainte d'abus de confiance et de rapt d'enfant déposée par les sœurs de Saint-Paul-de-Chartres. Certaines religieuses siégeant au chapitre, dont la sœur Gabrielle Côté, de son nom en religion sœur Saint-Gabriel, n'ont pas pardonné à Antoinette son escapade. Maîtres Lemieux et Lapointe ont dû invoquer toutes les circonstances atténuantes, insister sur la qualité du fils et la fidélité de la mère à ses vœux pour qu'elles acceptent enfin de lui donner l'absolution. Le 17 mars 1972, ce fut un soulagement pour tous les concernés d'apprendre, qu'Antoinette était enfin libre.

L'histoire d'amour de Richard et de Nicole a commencé dans des circonstances tragiques. Peu après son retour de Montréal, Richard apprend que le père de Nicole a été happé par une automobile devant sa boutique de barbier. Richard avait pris soin de cet homme avec beaucoup de sollicitude. Cinq semaines avant le mariage, monsieur Pelletier est décédé, de sorte que le jour du mariage de Richard et de sa secrétaire est un jour un peu triste.

Antoinette, aussitôt libérée des charges pesant contre elle, s'est empressée de venir rencontrer sœur Marcienne. Compte tenu de son âge, on a prévenu la vieille religieuse de cette visite. La scène fut touchante. La vieille tante a pleuré presque sans arrêt, embrassant Antoinette à toutes les cinq minutes. Cette dernière a dû raconter en détail les péripéties de son départ et les événements subséquents. La vieille pharmacienne a tenu à rencontrer Richard et a insisté pour être présente à la cérémonie nuptiale, même si elle devait se déplacer en chaise roulante.

Le docteur Lévesque ne travaillera bientôt plus à l'hôpital. Il prend sa retraite dans moins d'un mois, mais continuera à recevoir sa fidèle clientèle au bureau. Il a voulu négocier la vente de son cabinet à Richard, mais ce dernier n'est pas prêt à l'acheter; il nécessite trop d'améliorations et de travail pour un jeune couple. Le prix fixé est très raisonnable, et il aurait voulu rendre ce service à son bienfaiteur, mais l'ampleur du travail décourage Richard. Il préfère vivre dans un «bungalow» juché sur la côte, le long de la rivière Sainte-Anne. La vue sur le village, la rivière et le fleuve y est magnifique. Son bureau lui convient encore, il continuera à y recevoir sa clientèle. En transformant l'ancienne chambre à coucher en salle de consultation, il a gagné de l'espace et du temps.

Au cours de la semaine précédant le mariage, Antoinette en a profité pour revoir le Bocage. Elle a aussi renoué avec ses anciennes copines de la congrégation. Elle a été bien accueillie par toutes, à l'exception de la directrice du pensionnat, sœur Gabrielle Côté, dont la rancune fait fortement jaser dans la communauté des sœurs de Saint-Paul-de-Chartres.

Même si Antoinette a la tête pleine de souvenirs

et le cœur gonflé de joie, elle s'en retourne à Montréal le mardi suivant. Elle veut reprendre son travail quelque temps encore. Mais elle n'a pas dit non à Nicole lorsque cette dernière lui a demandé d'être un jour la gardienne de leur enfant... La proposition lui sourit, d'autant plus qu'elle soupçonne la mariée d'être enceinte de quelques semaines. À la pharmacie, elle a vu tellement de femmes manifestant ces symptômes qu'elle gagerait sa paye. Elle sera heureuse de leur rendre ce service, et de s'offrir la joie d'être une vraie grand-mère...

FIN

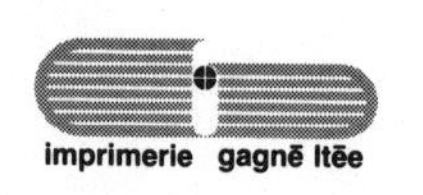
imprimerie gagné ltée

IMPRIMÉ AU CANADA